中國美術全集

青銅器二

全國百佳圖书出版单位
時代出版傳媒股份有限公司
黃山書社

目　　錄

商（公元前十六世紀至公元前十一世紀）

頁碼	名稱	時代	發現地	收藏地
277	乳釘雷紋簋	商	山西右玉縣大川村	山西省右玉縣博物館
277	直綫紋簋	商	陝西清澗縣張家圪村	陝西省清澗縣文化館
278	高足無耳簋	商	山西石樓縣桃花莊	山西博物院
278	乳釘雷紋瓿	商	山西保德縣林遮峪鄉	山西博物院
279	鈴豆	商	山西保德縣林遮峪鄉	山西博物院
279	獸面紋觚	商	山西石樓縣桃花莊	山西博物院
280	獸面紋觚	商	山西石樓縣後欄家溝村	山西博物院
280	變形龍紋帶鈴觚	商	山西石樓縣桃花莊	山西博物院
281	獸面紋斝	商	山西石樓縣後欄家溝村	山西博物院
281	獸面紋貫耳壺	商	陝西綏德縣鄢頭村窖藏	陝西歷史博物館
282	雙獸面提梁壺	商	山西石樓縣桃花莊	山西博物院
283	龍紋觥	商	山西石樓縣桃花莊	山西博物院
284	魚紋盤	商	山西石樓縣桃花莊	山西博物院
284	蛇首匕	商	陝西綏德縣鄢頭村窖藏	陝西歷史博物館
285	羊首勺	商	陝西清澗縣解家溝村	陝西省清澗縣博物館
285	蛙形勺	商	山西石樓縣後欄家溝	山西博物院
286	曲莖鈴首短劍	商		臺灣
286	環首刀	商	内蒙古伊金霍洛旗朱開溝1040號墓	内蒙古自治區文物考古研究所
287	龍首匕	商	内蒙古準格爾旗柴達木鎮徵集	内蒙古自治區鄂爾多斯博物館
287	帶鈴鐸	商	山西石樓縣曹家塬墓葬	山西博物院
288	凸目尖耳大神面像	商	四川廣漢市三星堆遺址2號祭祀坑	四川省三星堆博物館
290	凸目尖耳大神面像	商	四川廣漢市三星堆遺址2號祭祀坑	四川省三星堆博物館
291	獸面具	商	四川廣漢市三星堆遺址2號祭祀坑	四川省三星堆博物館
291	獸面具	商	四川廣漢市三星堆遺址2號祭祀坑	四川省三星堆博物館
292	太陽形器	商	四川廣漢市三星堆遺址2號祭祀坑	四川省三星堆博物館
293	眼形器	商	四川廣漢市三星堆遺址2號祭祀坑	四川省三星堆博物館
293	人面像	商	四川廣漢市三星堆遺址2號祭祀坑	四川省三星堆博物館
294	人面像	商	四川廣漢市三星堆遺址2號祭祀坑	四川省三星堆博物館

頁碼	名稱	時代	發現地	收藏地
294	人面像	商	四川廣漢市三星堆遺址2號祭祀坑	四川省三星堆博物館
295	人面像	商	四川廣漢市三星堆遺址2號祭祀坑	四川省三星堆博物館
295	獸面冠人像	商	四川廣漢市三星堆遺址2號祭祀坑	四川省三星堆博物館
296	帶座大立人像	商	四川廣漢市三星堆遺址2號祭祀坑	四川省三星堆博物館
297	大柳樹	商	四川廣漢市三星堆遺址2號祭祀坑	四川省三星堆博物館
298	神樹	商	四川廣漢市三星堆遺址2號祭祀坑	四川省三星堆博物館
298	人首鳥身神像	商	四川廣漢市三星堆遺址2號祭祀坑	四川省三星堆博物館
299	人頭像	商	四川廣漢市三星堆遺址1號祭祀坑	四川省三星堆博物館
299	人頭像	商	四川廣漢市三星堆遺址1號祭祀坑	四川省三星堆博物館
300	金面人頭像	商	四川廣漢市三星堆遺址2號祭祀坑	四川省三星堆博物館
301	金面人頭像	商	四川廣漢市三星堆遺址2號祭祀坑	四川省三星堆博物館
302	戴幘人頭像	商	四川廣漢市三星堆遺址2號祭祀坑	四川省三星堆博物館
303	人頭像	商	四川廣漢市三星堆遺址2號祭祀坑	四川省三星堆博物館
304	人頭像	商	四川廣漢市三星堆遺址2號祭祀坑	四川省三星堆博物館
304	人頭像	商	四川廣漢市三星堆遺址2號祭祀坑	四川省三星堆博物館
305	跪坐人像	商	四川廣漢市三星堆遺址2號祭祀坑	四川省三星堆博物館
305	跪坐人像	商	四川廣漢市三星堆遺址1號祭祀坑	四川省三星堆博物館
306	喇叭座頂尊跪坐人像	商	四川廣漢市三星堆遺址2號祭祀坑	四川省三星堆博物館
306	銅怪獸	商	四川廣漢市三星堆遺址2號祭祀坑	四川省三星堆博物館
307	蛇形飾件	商	四川廣漢市三星堆遺址2號祭祀坑	四川省文物考古研究所
307	鑲嵌綠松石虎形飾	商	四川廣漢市三星堆遺址鴨子河	四川省廣漢市文物保管所
308	龍形飾件	商	四川廣漢市三星堆遺址2號祭祀坑	四川省三星堆博物館
308	公鷄	商	四川廣漢市三星堆遺址2號祭祀坑	四川省三星堆博物館
309	大冠鳥	商	四川廣漢市三星堆遺址2號祭祀坑	四川省三星堆博物館
309	鷹首	商	四川廣漢市三星堆遺址2號祭祀坑	四川省三星堆博物館
310	飛鳥	商	四川廣漢市三星堆遺址2號祭祀坑	四川省三星堆博物館
310	鳥	商	四川廣漢市三星堆遺址2號祭祀坑	四川省三星堆博物館
311	立鳥	商	四川廣漢市三星堆遺址2號祭祀坑	四川省文物考古研究所
311	立鳥	商	四川廣漢市三星堆遺址2號祭祀坑	四川省三星堆博物館
312	龍虎尊	商	四川廣漢市三星堆遺址1號祭祀坑	四川省文物考古研究所
312	三牛尊	商	四川廣漢市三星堆遺址2號祭祀坑	四川省文物考古研究所
313	三牛三鳥尊	商	四川廣漢市三星堆遺址2號祭祀坑	四川省文物考古研究所
313	三羊三鳥尊	商	四川廣漢市三星堆遺址2號祭祀坑	四川省文物考古研究所
314	獸面紋尊	商	四川廣漢市	四川省文物考古研究所

頁碼	名稱	時代	發現地	收藏地
314	四羊罍	商	四川廣漢市三星堆遺址2號祭祀坑	四川省三星堆博物館
315	四羊首獸面紋罍	商	四川廣漢市三星堆遺址2號祭祀坑	四川省文物考古研究所
316	齒刃長援戈	商	四川廣漢市三星堆遺址1號祭祀坑	四川省文物考古研究所
316	齒刃長援戈	商	四川廣漢市三星堆遺址2號祭祀坑	四川省文物考古研究所
317	花蒂形鈴	商	四川廣漢市三星堆遺址2號祭祀坑	四川省三星堆博物館
317	鷹形鈴	商	四川廣漢市三星堆遺址2號祭祀坑	四川省三星堆博物館
318	獸面紋鈴	商	四川廣漢市三星堆遺址2號祭祀坑	四川省三星堆博物館
318	獸面紋鈴	商	四川廣漢市三星堆遺址2號祭祀坑	四川省三星堆博物館
319	鑲嵌綠松石飾牌	商	四川廣漢市三星堆遺址	四川省文物考古研究所
319	鸛鳥紋雙足牌	商	四川廣漢市三星堆遺址2號祭祀坑	四川省三星堆博物館
320	獸面紋四足鬲	商	陝西城固縣龍頭鎮龍頭村	陝西歷史博物館
320	乳釘雷紋小鼄簋	商	陝西城固縣龍頭鎮龍頭村	陝西省城固縣文化館
321	乳釘雷紋簋	商	陝西城固縣五郎廟	陝西歷史博物館
321	獸面紋羊首尊	商	陝西城固縣龍頭鎮	陝西省城固縣文化館
322	獸面紋高頸罍	商	陝西城固縣龍頭鎮龍頭村	陝西歷史博物館
323	獸面紋罍	商	陝西城固縣龍頭鎮	陝西省城固縣文化館
323	對鳥紋銅方罍	商	陝西城固縣蘇村窖穴	陝西省城固縣文化館
324	獸面紋瓿	商	陝西洋縣馬暢鎮	陝西省洋縣博物館
324	獸面紋瓿	商	陝西城固縣五郎廟	陝西省城固縣文化館
325	獸面紋壺	商	陝西城固縣龍頭鎮	陝西歷史博物館
325	獸面紋壺	商	陝西城固縣龍頭鎮	陝西省城固縣文化館
326	獸面紋三足壺	商	陝西城固縣龍頭鎮	陝西省城固縣文化館
326	獸面紋觚	商	陝西城固縣龍頭鎮	陝西省城固縣文化館
327	獸面紋獨柱爵	商	陝西城固縣龍頭鎮	陝西歷史博物館
327	鳳鳥紋獸形匜	商	陝西洋縣張村	陝西省洋縣博物館
328	透空龍紋鉞	商	陝西城固縣五郎廟	陝西省城固縣文化館
328	透雕龍紋鉞	商	陝西城固縣五郎廟	陝西省城固縣文化館
329	雙頭蜈蚣紋戈	商	陝西城固縣五郎廟	陝西省城固縣文化館
329	獸面紋鼎	商	湖南寧鄉縣	湖南省博物館
330	大禾人面方鼎	商	湖南寧鄉縣采集	湖南省博物館
331	四羊方尊	商	湖南寧鄉縣月山鋪轉耳崙	中國國家博物館
332	象形尊	商		法國巴黎吉美美術館
333	象形尊	商	湖南醴陵市獅形山	湖南省博物館
334	象尊	商		美國華盛頓弗利爾美術館

頁碼	名稱	時代	發現地	收藏地
334	雌雙羊尊	商		日本東京根津美術館
335	雙羊尊	商	傳湖南長沙縣跳馬澗	英國倫敦大英博物館
336	豕形尊	商	湖南湘潭縣船形山	湖南省博物館
336	獸面紋高足疊	商	湖南岳陽市魴魚山	湖南省岳陽市文物管理處
337	獸面紋提梁壺	商	湖南石門縣	湖南省博物館
338	獸面紋瓿	商	湖南寧鄉縣寨子村	湖南省博物館
338	戈提梁壺	商	湖南寧鄉縣黃村	湖南省博物館
339	虎抱人提梁壺	商	傳湖南	日本京都泉屋博古館
340	天銘提梁壺	商	廣西武鳴縣勉嶺	廣西壯族自治區博物館
340	獸面象紋鐃	商	湖南寧鄉縣師古寨山頂	湖南省博物館
341	獸面紋虎足鼎	商	江西新干縣大洋洲鎮	江西省博物館
341	雙層底方鼎	商	江西新干縣大洋州鎮	江西省博物館
342	虎耳方鼎	商	江西新干縣大洋州鎮	江西省博物館
343	鹿耳四足甗	商	江西新干縣大洋洲鎮	江西省博物館
344	獸面紋假腹盤	商	江西新干縣大洋洲鎮	江西省博物館
344	假腹豆	商	江西新干縣大洋洲鎮	江西省博物館
345	四羊罍	商	江西新干縣大洋洲鎮	江西省博物館
345	獸面紋瓿	商	江蘇南京市江寧區	南京博物院
346	提梁方壺	商	江西新干縣大洋洲鎮	江西省博物館
347	獸面紋提梁壺	商	江西遂川縣泉江鎮洪門村	江西省遂川縣文物保管所
348	牛首紋鎛	商	江西新干縣大洋洲鎮	江西省博物館
348	神像圖像鼓	商		日本京都泉屋博古館
349	獸面紋鼓	商	湖北崇陽縣	湖北省博物館
350	獸面紋冑	商	江西新干縣大洋洲鎮	江西省博物館
350	雙尾臥虎	商	江西新干縣大洋洲鎮	江西省博物館
351	雙面神像	商	江西新干縣大洋洲鎮	江西省博物館

西周（公元前十一世紀至公元前七七一年）

頁碼	名稱	時代	發現地	收藏地
352	獸面勾連雷紋鼎	西周	陝西西安市長安區新旺村	陝西西安市文物保護考古所
353	夔龍格乳紋鼎	西周	陝西岐山縣賀家村	陝西歷史博物館

頁碼	名稱	時代	發現地	收藏地
353	獸面鳳紋鼎	西周	陝西岐山縣賀家村	陝西歷史博物館
354	獸面垂葉紋鼎	西周	陝西扶風縣劉家村	陝西歷史博物館
354	牛鼎	西周		美國賓西法尼亞大學博物館
355	堇鼎	西周	北京房山區琉璃河253號墓	首都博物館
355	旟鼎	西周	陝西眉縣楊家村	陝西歷史博物館
356	獸面紋鼎	西周	遼寧喀喇沁左翼蒙古族自治縣北洞村	遼寧省博物館
356	塱鼎	西周	甘肅靈臺縣洞山	甘肅省博物館
357	平蓋獸面紋鼎	西周	陝西寶雞市紙坊頭1號墓	陝西省寶雞市青銅器博物館
358	㽙鼎	西周	傳陝西寶雞市	故宮博物院
358	獸面紋鼎	西周		故宮博物院
359	帶鋬龍紋大鼎	西周	陝西淳化縣史家源村	陝西省淳化縣文物管理所
360	獸面紋鼎	西周	北京房山區琉璃河251號墓	首都博物館
360	外叔鼎	西周	陝西岐山縣童家村	陝西歷史博物館
361	大盂鼎	西周	陝西岐山縣禮村	中國國家博物館
362	成周鼎	西周	山西曲沃縣曲村6195號墓	北京大學賽克勒考古與藝術博物館
362	北子丹鼎	西周	湖北江陵縣萬城	湖北省博物館
363	五祀衛鼎	西周	陝西岐山縣董家村西周窖藏	陝西歷史博物館
363	師湯父鼎	西周	傳陝西西安市長安區	臺北故宮博物院
364	十五年趞曹鼎	西周	傳陝西	上海博物館
364	師眉鼎	西周	傳陝西鳳翔縣	南京博物院
365	大克鼎	西周	陝西扶風縣法門鎮任家村	上海博物館
366	井姬鼎	西周	陝西寶雞市茹家莊2號墓	陝西省寶雞市青銅器博物館
366	史頌鼎	西周		上海博物館
367	小克鼎	西周	陝西扶風縣法門鎮任家村	故宮博物院
367	虢文公子㲎鼎	西周		遼寧省旅順博物館
368	㝬叔鼎	西周	陝西藍田縣草坪鄉	陝西省藍田縣文物管理所
368	芮公鼎	西周		日本東京出光美術館
369	毛公鼎	西周	陝西岐山縣禮村	臺北故宮博物院
369	虢宣公子白鼎	西周		北京市頤和園管理處
370	大鼎	西周		故宮博物院
370	頌鼎	西周		故宮博物院
371	雲目紋溫鼎	西周	陝西扶風縣莊白村窖藏	陝西省周原博物館
371	戒鼎	西周	陝西扶風縣莊白村	陝西省扶風縣博物館
372	㝬父丁鼎	西周		上海博物館

頁碼	名稱	時代	發現地	收藏地
372	子申父己鼎	西周	河南伊川縣	河南省洛陽博物館
373	父甲鼎	西周		北京大學賽克勒考古與藝術博物館
373	匽侯旨鼎	西周		日本京都泉屋博古館
374	史游父鼎	西周		故宮博物院
374	婦妣進方鼎	西周	陝西西安市長安區花園村	陝西歷史博物館
375	妣方鼎	西周	遼寧喀喇沁左翼蒙古族自治縣北洞村	遼寧省博物館
376	康侯豐方鼎	西周		臺北故宮博物院
376	百乳龍紋方鼎	西周	山東滕州市莊里西村	山東省滕州市博物館
377	德方鼎	西周		上海博物館
378	厚趠方鼎	西周		上海博物館
378	鳳紋方鼎	西周	陝西寶雞市戴家灣村	陝西省寶雞市青銅器博物館
379	𠑇鼎	西周	甘肅靈臺縣白草坡1號墓	甘肅省博物館
379	成王方鼎	西周		美國堪薩斯納爾遜—艾金斯美術館
380	太保方鼎	西周		天津博物館
380	𣄰方鼎	西周		美國舊金山亞洲藝術博物館
381	𢀛方鼎	西周		上海博物館
381	滕侯方鼎	西周	山東滕州市莊里西村	山東省滕州市博物館
382	戎方鼎	西周	陝西扶風縣莊白村	陝西省扶鳳縣博物館
382	伯狺方鼎	西周	陝西寶雞市茹家莊1號墓乙室	陝西省寶雞市青銅器博物館
383	刖人守門方鼎	西周	陝西扶風縣莊白村西周窖藏	陝西省周原博物館
383	塱方鼎	西周	傳陝西鳳翔縣	美國舊金山亞洲藝術博物館
384	象鼻形足方鼎	西周	山東濟陽縣劉臺子村	山東省文物考古研究所
384	伯方鼎	西周	陝西寶雞市竹園溝4號墓	陝西省寶雞市青銅器博物館
385	四鳥扁足方鼎	西周	陝西扶風縣齊家村	陝西省扶風縣博物館
385	瀕鬲	西周		上海博物館
386	伯矩鬲	西周	北京房山區琉璃河251號墓	首都博物館
387	魯侯熙鬲	西周		美國波士頓美術館
387	師趛鬲	西周		故宮博物院
388	公姞鬲	西周		美國舊金山亞洲藝術博物館
388	繩紋鬲	西周	河南洛陽市北窯機瓦廠	河南省洛陽博物館
389	伯邦父鬲	西周	陝西扶風縣齊家村窖藏	陝西歷史博物館
389	衛夫人鬲	西周		南京博物院
390	呂王鬲	西周		上海博物館
390	魯宰駟父鬲	西周	山東鄒城市棲駕村	山東省鄒城市博物館

頁碼	名稱	時代	發現地	收藏地
391	郑伯鬲	西周		中國國家博物館
391	庚父己甗	西周	陝西扶風縣楊家堡村	陝西省扶風縣博物館
392	兔母癸甗	西周		上海博物館
392	圉甗	西周	北京房山區琉璃河253號墓	首都博物館
393	應監甗	西周	江西餘干縣黃金埠鎮	江西省博物館
393	獸面紋甗	西周		北京市保利藝術博物館
394	孚公甗	西周		故宮博物院
394	師趛方甗	西周	河南洛陽市馬坡村	河南省洛陽博物館
395	波曲紋方甗	西周	河南三門峽市虢國墓地2012號墓	河南省文物考古研究所
395	堇臨簋	西周		故宮博物院
396	團龍紋簋	西周		故宮博物院
396	百乳雷紋簋	西周	山西曲沃縣曲村6081號墓	山西省考古研究所
397	康侯簋	西周	河南浚縣辛村衛侯墓地	英國倫敦大英博物館
397	乳釘四耳簋	西周		美國華盛頓弗利爾美術館
398	牛首飾四耳簋	西周	陝西寶雞市紙坊頭1號墓	陝西省寶雞市青銅器博物館
398	邢侯簋	西周		英國倫敦大英博物館
399	榮簋	西周		故宮博物院
399	莒小子簋	西周		上海博物館
400	伯作簋	西周		故宮博物院
400	鮮簋	西周		英國倫敦埃斯肯納齊行
401	戈簋	西周	陝西扶風縣莊白村西周墓	陝西省扶風縣博物館
401	陳侯簋	西周		上海博物館
402	鳥紋簋	西周		美國舊金山亞洲藝術博物館
402	攸簋	西周	北京房山區琉璃河53號墓	首都博物館
403	齊仲簋	西周	山東招遠市東曲城村	山東省烟臺市博物館
403	回首龍紋簋	西周	山西曲沃縣曲村6130號墓	北京大學賽克勒考古與藝術博物館
404	敔簋	西周	河南平頂山市滍陽嶺應國墓地95號墓	河南省文物考古研究所
404	伯簋	西周	北京房山區琉璃河209號墓	首都博物館
405	伯簋	西周	山西曲沃縣曲村723號墓	北京大學賽克勒考古與藝術博物館
405	班簋	西周		首都博物館
406	乍伯簋	西周	河南平頂山市薛莊鄉應國墓地	河南省文物考古研究所
406	渦龍紋高圈足簋	西周	陝西寶雞市紙坊頭1號墓	陝西省寶雞市青銅器博物館
407	六年琱生簋	西周		中國國家博物館
407	獸面紋簋	西周		英國

頁碼	名稱	時代	發現地	收藏地
408	牛簋	西周		美國舊金山亞洲藝術博物館
408	應國再簋	西周	河南平頂山市滍陽嶺應國墓地	北京市保利藝術博物館
409	虎叔簋	西周		北京市保利藝術博物館
409	元年師旋簋	西周	陝西西安市長安區張家坡窖藏	陝西歷史博物館
410	師酉簋	西周		故宮博物院
410	仲再父簋	西周	河南南陽市	河南南陽市博物館
411	師寰簋	西周		上海博物館
411	魯伯大父簋	西周	山東濟南市歷城區北草溝村	山東省博物館
412	頌簋	西周		故宮博物院
412	大師虘簋	西周	傳陝西西安市	上海博物館
413	應吏簋	西周	河南平頂山市滍陽嶺應國墓地230號墓	河南省文物考古研究所
413	紀侯簋	西周		上海博物館
414	五年師旋簋	西周	陝西西安市長安區張家坡窖藏	陝西歷史博物館
414	師道簋	西周	內蒙古寧城縣小黑石溝遺址	內蒙古自治區寧城縣博物館
415	太師虘簋	西周	傳陝西西安市	故宮博物院
415	大簋	西周		故宮博物院
416	鄧公簋	西周	河南平頂山市滍陽嶺應國墓地6號墓	河南省文物考古研究所
416	散伯簋	西周	傳陝西鳳翔縣	上海博物館
417	獸目交連紋簋	西周	河南禹州市吳灣村	河南省文物考古研究所
417	鳥紋簋	西周		故宮博物院
418	霢簋	西周		故宮博物院
418	匽侯盂	西周	遼寧喀喇沁左翼蒙古族自治縣馬廠溝窖藏	中國國家博物館
419	永盂	西周	陝西藍田縣洩湖鎮	陝西省西安市文物保護考古所
419	逦盂	西周	陝西西安市長安區新旺村	陝西省西安市文物保護考古所
420	天亡簋	西周	陝西岐山縣禮村	中國國家博物館
420	利簋	西周	陝西西安市臨潼區西段村	中國國家博物館
421	蝸身龍紋方座簋	西周	陝西涇陽縣高家堡1號墓	陝西歷史博物館
421	甲簋	西周		上海博物館
422	作寶彝簋	西周		故宮博物院
422	獸面紋簋	西周	陝西西安市長安區大原村	中國社會科學院考古研究所
423	㲱簋	西周	北京房山區琉璃河251號墓	首都博物館
423	圉簋	西周	北京房山區琉璃河253號墓	首都博物館
424	強伯簋	西周	陝西寶雞市紙坊頭1號墓	陝西省寶雞市青銅器博物館
424	獸面紋方座簋	西周	陝西寶雞市竹園溝13號墓	陝西省寶雞市青銅器博物館

頁碼	名稱	時代	發現地	收藏地
425	圉簋	西周	遼寧喀喇沁左翼蒙古族自治縣小波汰溝村	遼寧省博物館
425	滕侯簋	西周	山東滕州市莊里西村	山東省滕州市博物館
426	鄂叔簋	西周		上海博物館
426	獸面紋方座簋	西周	陝西隴縣韋家莊村	陝西省寶雞市青銅器博物館
427	諫簋	西周	陝西西安市長安區花園村	陝西歷史博物館
427	孟簋	西周	陝西西安市長安區張家坡窖藏	陝西歷史博物館
428	追簋	西周		故宮博物院
429	倗生簋	西周		上海博物館
429	癲簋	西周	陝西扶風縣莊白村窖藏	陝西省周原博物館
430	晋侯斷簋	西周	山西曲沃縣北趙村晋侯墓地8號墓	山西省考古研究所
430	麩簋	西周	陝西扶風縣齊村	陝西省扶風縣博物館
431	虎簋	西周	傳陝西鳳翔縣	上海博物館
432	菱形紋盂	西周	山西曲沃縣曲村7176號墓	北京大學賽克勒考古與藝術博物館
432	虢叔盂	西周		山東省博物館
433	癲盨	西周	陝西扶風縣莊白村1號窖藏	陝西省周原博物館
433	應侯再盨	西周	河南平頂山市滍陽嶺應國墓地84號墓	河南省文物考古研究所
434	白敢卑盨	西周		北京市保利藝術博物館
434	善夫克盨	西周	陝西扶風縣任家村	美國芝加哥藝術館
435	伯多父盨	西周	陝西扶風縣雲塘村窖藏	陝西省周原博物館
435	晋侯乳盨	西周	山西曲沃縣北趙村晋侯墓地2號墓	上海博物館
436	晋侯乳盨	西周	山西曲沃縣北趙村晋侯墓地1號墓	上海博物館
436	痙白盨	西周	甘肅寧縣宇村謝家遺址	甘肅省博物館
437	魯伯念盨	西周	山東曲阜市魯國故城望父臺墓地30號墓	山東省曲阜市文物局
437	夔紋簠	西周		故宮博物院
438	伯公父瑚	西周	陝西扶風縣雲塘村窖藏	陝西省周原博物館
438	龍耳瑚	西周	山東肥城縣小王莊村	山東省博物館
439	鏤空足鋪	西周	陝西寶雞市茹家莊1號墓乙室	陝西省寶雞市青銅器博物館
439	微伯癲鋪	西周	陝西扶風縣莊白村窖藏	陝西省周原博物館
440	鱗紋鋪	西周	陝西岐山縣董家村窖藏	陝西省岐山縣博物館
440	康生豆	西周		山西博物院
441	周生豆	西周	陝西寶雞市西高泉村	陝西省寶雞市青銅器博物館
441	衛始豆	西周		故宮博物院
442	何尊	西周	陝西寶雞市賈村鎮	陝西省寶雞市青銅器博物館
442	伯各尊	西周	陝西寶雞市竹園溝7號墓	陝西省寶雞市青銅器博物館

頁碼	名稱	時代	發現地	收藏地
443	商尊	西周	陝西扶風縣莊白村窖藏	陝西省周原博物館
443	旂尊	西周	陝西扶風縣莊白村窖藏	陝西省周原博物館
444	魚尊	西周	遼寧喀喇沁左翼蒙古族自治縣灣子村	遼寧省博物館
444	獸面紋尊	西周	山西曲沃縣曲村6210號墓	北京大學賽克勒考古與藝術博物館
445	小臣尊	西周	湖北江陵縣萬城村	湖北省博物館
445	保尊	西周	河南洛陽市	河南博物院
446	鄂侯弟厤季尊	西周	湖北隨州市安居鎮羊子山	湖北省襄樊市博物館
446	豐尊	西周	陝西扶風縣莊白村窖藏	陝西省周原博物館
447	效尊	西周	傳河南洛陽市或陝西西安市長安區	日本神戶白鶴美術館
447	免尊	西周		故宮博物院
448	殹古方尊	西周		上海博物館
449	榮子方尊	西周	傳河南洛陽市	日本神戶白鶴美術館
449	穀父乙方尊	西周		故宮博物院
450	日己方尊	西周	陝西扶風縣齊家村窖藏	陝西歷史博物館
450	盠方尊	西周	陝西眉縣李村	陝西歷史博物館
451	彊季尊	西周	陝西寶雞市竹園溝4號墓	陝西省寶雞市青銅器博物館
451	魯侯尊	西周		上海博物館
452	鄧仲犧尊	西周	陝西西安市長安區張家坡村	中國社會科學院考古研究所
453	虎形尊	西周	湖北江陵縣江北農場	湖北省荊州博物館
453	井姬貘形尊	西周	陝西寶雞市茹家莊2號墓	陝西省寶雞市青銅器博物館
454	象形尊	西周	陝西寶雞市茹家莊1號墓乙室	陝西省寶雞市青銅器博物館
454	虎尊	西周		美國華盛頓弗利爾美術館
455	牛形尊	西周	陝西岐山縣賀家村	陝西歷史博物館
455	亞此獸形尊	西周		英國倫敦戴迪野行
456	盠駒尊	西周	陝西眉縣李村	中國國家博物館
456	兔形尊	西周	山西曲沃縣北趙村晉侯墓地8號墓	山西省考古研究所
457	兔形尊	西周	山西曲沃縣北趙村晉侯墓地8號墓	山西省考古研究所
457	鳥形尊	西周	陝西寶雞市茹家莊1號墓乙室	陝西省寶雞市青銅器博物館
458	魚形尊	西周	陝西寶雞市茹家莊	陝西省寶雞市青銅器博物館
458	鴨形尊	西周	遼寧喀喇沁左翼蒙古族自治縣馬廠溝窖藏	中國國家博物館
459	蝸身龍紋罍	西周	遼寧喀喇沁左翼蒙古族自治縣北洞村2號窖藏	遼寧省博物館
460	渦龍紋罍	西周	湖北江陵縣萬城村	湖北省博物館
460	渦龍獸面紋罍	西周	陝西寶雞市茹家莊1號墓乙室	陝西省寶雞市青銅器博物館
461	渦龍紋罍	西周	陝西扶風縣齊家村窖藏	陝西歷史博物館

頁碼	名稱	時代	發現地	收藏地
461	對罍	西周	陝西鳳翔縣勸讀村	陝西省鳳翔縣博物館
462	仲義父罍	西周	陝西扶風縣法門鎮任家村	上海博物館
462	鄭義伯罍	西周		故宮博物院
463	母婺方罍	西周	河南洛陽市北窑村	河南省洛陽市文物工作隊
464	冏父丁方罍	西周		上海博物館
464	令方彝	西周	傳河南洛陽市馬坡村	美國華盛頓弗利爾美術館
465	旂方彝	西周	陝西扶風縣莊白村西周窖藏	陝西省周原博物館
466	日己方彝	西周	陝西扶風縣齊家村窖藏	陝西歷史博物館
467	叔鲍方彝	西周	河南洛陽市馬坡村	河南省洛陽博物館
467	師遽方彝	西周		上海博物館
468	盠方彝	西周	陝西眉縣李村	陝西歷史博物館
468	垂鱗紋方彝	西周	湖北隨州市均川鎮熊家老灣村	湖北省博物館
469	父癸壺	西周	傳甘肅靈臺縣	甘肅省博物館
469	渣伯遠壺	西周	河南浚縣辛村衛侯墓地	日本東京出光美術館
470	虢季子組提梁壺	西周		故宮博物院
470	鳳紋提梁壺	西周	陝西寶雞市鬥雞臺	美國波士頓美術館
471	伯各提梁壺	西周	陝西寶雞市竹園溝7號墓	陝西省寶雞市青銅器博物館
471	戈五提梁壺	西周	陝西涇陽縣高家堡1號墓	陝西歷史博物館
472	魜提梁壺	西周	陝西涇陽縣高家堡1號墓	陝西歷史博物館
472	太保提梁壺	西周	河南洛陽市	上海博物館
473	商提梁壺	西周	陝西扶風縣莊白村窖藏	陝西省周原博物館
474	獸面紋提梁壺	西周	山西曲沃縣曲村6081號墓	山西省考古研究所
474	小臣提梁壺	西周	湖北江陵縣萬城村	湖北省博物館
475	伯提梁壺	西周	陝西扶風縣召李村	陝西省扶風縣博物館
475	效提梁壺	西周	傳河南洛陽市	上海博物館
476	神面提梁壺	西周		北京市保利藝術博物館
477	邢季𡎸提梁壺	西周		日本京都泉屋博古館
477	豐提梁壺	西周	陝西扶風縣莊白村窖藏	陝西省周原博物館
478	啓提梁壺	西周	山東龍口市歸城小劉莊	山東省博物館
478	古父己提梁壺	西周		上海博物館
479	㵤伯提梁壺	西周	甘肅靈臺縣白草坡1號墓	甘肅省博物館
479	鳳紋筒形提梁壺	西周	陝西寶雞市竹園溝13號墓	陝西省寶雞市青銅器博物館
480	太保鳥形提梁壺	西周	傳河南浚縣	日本神戶白鶴美術館
480	貫耳壺	西周	遼寧喀喇沁左翼蒙古族自治縣馬廠溝村	遼寧省博物館

頁碼	名稱	時代	發現地	收藏地
481	剌媽壺	西周		故宮博物院
481	鱗紋壺	西周	陝西扶風縣莊白村西周墓	陝西省扶風縣博物館
482	鳳紋壺	西周		美國舊金山亞洲藝術博物館
482	女嬗妊壺	西周		北京大學賽克勒考古與藝術博物館
483	十三年瘐壺	西周	陝西扶風縣莊白村窖藏	陝西省周原博物館
483	王伯姜壺	西周	傳陝西	美國舊金山亞洲藝術博物館
484	三年瘐壺	西周	陝西扶風縣莊白村窖藏	陝西省周原博物館
485	幾父壺	西周	陝西扶風縣齊家村窖藏	陝西歷史博物館
485	同壺	西周	河南泌陽縣前梁河村	河南博物院
486	頌壺	西周		臺北故宮博物院
487	晋侯斷壺	西周	山西曲沃縣北趙村晋侯墓地8號墓	山西省考古研究所
488	獸面紋壺	西周		故宮博物院
488	芮公壺	西周		故宮博物院
489	鳳紋壺	西周		日本東京根津美術館
489	梁其壺	西周	陝西扶風縣任家村	陝西歷史博物館
490	陳侯壺	西周	山東肥城縣小王莊	山東省博物館
490	陳牪父壺	西周	山西聞喜縣上49郭村	山西省考古研究所
491	散車父壺	西周	陝西扶風縣召陳村窖藏	陝西歷史博物館
491	鄂侯弟厤季提梁壺	西周	傳湖北隨州市	上海博物館
492	畀仲壺	西周		上海博物館
492	蕉葉鳳紋瓠	西周	陝西扶風縣莊白村窖藏	陝西省周原博物館
493	旅父乙瓠	西周	陝西扶風縣莊白村窖藏	陝西省周原博物館
493	小臣單觶	西周		上海博物館
494	鳳紋觶	西周		美國舊金山亞洲藝術博物館
494	獸面紋觶	西周		美國舊金山亞洲藝術博物館
495	歸妞進方壺	西周	陝西西安市長安區花園村	陝西歷史博物館
495	父庚觶	西周		上海博物館
496	伯戓飲壺甲	西周	陝西扶風縣莊白村	陝西省扶風縣博物館
496	伯戓飲壺乙	西周	陝西扶風縣莊白村	陝西省扶風縣博物館
497	波曲紋杯	西周	陝西西安市長安區張家坡窖藏	陝西歷史博物館
497	鳳首鋬觶	西周		故宮博物院
498	雙鋬杯	西周	陝西西安市長安區張家坡窖藏	陝西歷史博物館
498	單鋬杯	西周	陝西西安市長安區張家坡窖藏	陝西歷史博物館
499	長柄瓚	西周	陝西西安市長安區張家坡窖藏	陝西歷史博物館

頁碼	名稱	時代	發現地	收藏地
499	變形幾何紋瓚	西周	陝西扶風縣召陳村窖藏	陝西歷史博物館
500	伯公父瓚	西周	陝西扶風縣雲塘村窖藏	陝西省周原博物館
500	盟父丁角	西周	甘肅靈臺縣白草坡1號墓	甘肅省博物館
501	茻祖辛爵	西周	陝西西安市長安區普渡村	陝西歷史博物館
501	未爵	西周	北京房山區琉璃河253號墓	首都博物館
502	龍爵	西周		上海博物館
502	獸面紋爵	西周	山西曲沃縣曲村6210號墓	北京大學賽克勒考古與藝術博物館
503	鳳鳥紋爵	西周		故宮博物院
503	魯侯爵	西周		故宮博物院
504	樣册爵	西周	陝西扶風縣莊白村窖藏	陝西省周原博物館
504	伯豐爵	西周	河南洛陽市北窰村	河南省洛陽市文物工作隊
505	晨肇寧角	西周	河南信陽市溮河港	河南信陽市文物管理委員會
506	史速角	西周	陝西岐山縣賀家村	陝西歷史博物館
506	旅斝	西周	陝西扶風縣莊白村窖藏	陝西省周原博物館
507	賣引卣	西周		上海博物館
507	守宮卣	西周	傳河南	英國劍橋大學菲茨威廉博物館
508	旅方卣	西周	陝西扶風縣莊白村窖藏	陝西省周原博物館
508	仲子㠱㠱觥	西周		美國舊金山亞洲藝術博物館
509	龍首方卣	西周		美國華盛頓弗利爾美術館
510	鳳鳥紋方卣	西周		日本京都泉屋博古館
510	告田卣	西周	陝西寶雞市戴家灣	丹麥哥本哈根國立博物館
511	鬲形盉	西周	山西曲沃縣曲村6210號墓	北京大學賽克勒考古與藝術博物館
511	來父盉	西周		故宮博物院
512	長由盉	西周	陝西西安市長安區普渡村	中國國家博物館
512	衛盉	西周	陝西岐山縣董家村窖藏	陝西省岐山縣博物館
513	颙父盉	西周	陝西扶風縣莊白村	陝西省扶風縣博物館
513	伯庸父盉	西周	陝西西安市長安區張家坡窖藏	陝西歷史博物館
514	強伯盉	西周	陝西寶雞市茹家莊1號墓乙室	陝西省寶雞市青銅器博物館
514	伯百父盉	西周	陝西西安市長安區張家坡窖藏	陝西歷史博物館
515	鳳蓋四足盉	西周	陝西西安市長安區花園村	陝西歷史博物館
515	士上盉	西周	河南洛陽市馬坡村	美國華盛頓弗利爾美術館
516	克盉	西周	北京房山區琉璃河1193號墓	首都博物館
516	徙遽黌盉	西周	甘肅靈臺縣白草坡1號墓	甘肅省博物館
517	渦龍紋盉	西周		甘肅省蘭州市博物館

頁碼	名稱	時代	發現地	收藏地
517	鴨形盉	西周	河南平頂山市滍陽嶺應國墓地50號墓	河南省文物考古研究所
518	㝬盉	西周	陝西扶風縣齊家村	陝西歷史博物館
519	鳥足盉	西周	河南省三門峽市虢國墓地2001號墓	河南省文物考古研究所
519	人足盉	西周	山西省曲沃縣北趙村晋侯墓地	山西省考古研究所
520	龍首鋬盉	西周		故宮博物院
520	㑸匜	西周	陝西岐山縣董家村窖藏	陝西省岐山縣博物館
521	筍侯匜	西周	山西聞喜縣上郭村	山西省考古研究所
521	魯司徒仲齊匜	西周	山東曲阜市魯國故城望父臺墓地48號墓	山東省曲阜市文物管理委員會
522	齊侯匜	西周		上海博物館
522	散伯匜	西周		上海博物館
523	叔上匜	西周		故宮博物院
523	郳□子商匜	西周		故宮博物院
524	蟬紋盤	西周	遼寧喀喇沁左翼蒙古族自治縣馬廠溝窖葬	遼寧省博物館
524	牆盤	西周	陝西扶風縣莊白村窖藏	陝西省周原博物館
525	魚龍紋盤	西周	河北曲陽縣占果村	河北省博物館
525	休盤	西周		南京博物院
526	筍侯盤	西周	陝西西安市長安區張家坡窖藏	陝西歷史博物館
526	殷谷盤	西周		故宮博物院
527	伯雍父盤	西周	陝西扶風縣莊白村	陝西省扶風縣博物館
527	齊叔姬盤	西周		山東省濟南市博物館
528	變形獸面紋盤	西周	山東滕州市後荊溝村	山東省滕州市博物館
528	袁盤	西周		故宮博物院
529	宗仲盤	西周	陝西藍田縣指甲灣村	陝西歷史博物館
529	虢季子白盤	西周	傳陝西寶雞市	中國國家博物館
530	凹弦紋罐	西周	河南三門峽市虢國墓地2012號墓	河南省文物考古研究所
530	調色器	西周	陝西岐山縣賀家村西周墓	陝西歷史博物館
531	透雕龍紋匕	西周		上海博物館
531	夔紋匕	西周		故宮博物院
532	竊曲紋匕	西周		故宮博物院
532	獸面紋斗	西周	陝西扶風縣莊白村西周窖葬	陝西省周原博物館
533	應侯見工鐘	西周	陝西藍田縣紅門寺	陝西藍田縣文物管理所
533	井叔鐘	西周	陝西西安市長安區張家坡窖藏	中國社會科學院考古研究所
534	南宮乎鐘	西周	陝西扶風縣豹子溝村	陝西省扶風縣博物館
535	梁其鐘	西周	陝西扶風縣法門鎮任家村	上海博物館

頁碼	名稱	時代	發現地	收藏地
535	晋侯穌鐘	西周	山西曲沃縣北趙村晋侯墓地8號墓	日本京都泉屋博古館
536	士父鐘	西周		故宮博物院
536	戎生編鐘	西周		北京市保利藝術博物館
538	厲王鈇鐘	西周		臺北故宮博物院
538	虢叔旅鐘	西周	傳陝西寶鷄市，或説出自長安河壖中	山東省博物館
539	克鐘	西周	陝西扶風縣任家村	天津博物館
540	耳形虎含鑾鍼	西周	甘肅靈臺縣白草坡2號墓	甘肅省博物館
540	龍含鑾鍼	西周	山東鄒城市小彥村采集	山東鄒城市文物局
541	龍虎紋戚	西周	河北邢臺市葛家莊村	河北省文物研究所
542	人頭鑾鍼	西周	陝西寶鷄市竹園溝13號墓	陝西省寶鷄市青銅器博物館
542	康侯斧	西周	河南浚縣	故宮博物院
543	太保菁戈	西周	河南洛陽市北窑村	河南省洛陽市文物工作隊
543	銅内鐵援戈	西周	河南三門峽市虢國墓地2001號墓	河南省文物考古研究所
544	雙援戈	西周		故宮博物院
544	人頭鑾戟	西周	甘肅靈臺縣白草坡2號墓	甘肅省博物館
545	我形兵器	西周		故宮博物院
545	鏤空蛇紋鞘短劍	西周	甘肅靈臺縣白草坡2號墓	甘肅省博物館
546	勾鋸形兵器	西周		故宮博物院
546	獸面形飾	西周	北京房山區琉璃河1193號墓	首都博物館
547	人面形器	西周	北京房山區琉璃河1193號墓	首都博物館
547	馬冠飾	西周	山西洪洞縣永凝堡村	山西省考古研究所
548	馬冠飾	西周	山西曲沃縣曲村6210號墓	北京大學賽克勒考古與藝術博物館
548	獸首轄	西周	山西曲沃縣曲村6210號墓	北京大學賽克勒考古與藝術博物館
549	人獸形軏飾	西周	陝西寶鷄市茹家莊1號車馬坑	陝西省寶鷄市青銅器博物館
550	素鏡	西周	陝西寶鷄市	陝西省寶鷄市青銅器博物館
550	女相人像	西周	陝西寶鷄市茹家莊2號墓	陝西省寶鷄市青銅器博物館
551	男相人像	西周	陝西寶鷄市茹家莊1號墓	陝西省寶鷄市青銅器博物館
551	象首耳獸面紋罍	西周	四川彭州市竹瓦街	四川博物院
552	象首耳獸面紋罍	西周	四川彭州市竹瓦街	四川博物院
553	牛紋罍	西周	四川彭州市竹瓦街	四川博物院
553	羊首耳渦紋罍	西周	四川彭州市竹瓦街	四川博物院
554	蟠龍蓋獸面紋罍	西周	四川彭州市竹瓦街	四川博物院
555	蟠龍蓋獸面紋罍	西周	四川彭州市竹瓦街	四川博物院
555	獸面紋三角形戈	西周	四川彭州市竹瓦街	四川博物院

頁碼	名稱	時代	發現地	收藏地
556	蠶紋長援戈	西周	四川成都市交通巷	四川省成都市博物館
556	獸面紋長援戈	西周	四川彭州市竹瓦街	四川博物院
557	鳥紋戟	西周	四川彭州市竹瓦街	四川博物院
557	牛首紋斧	西周	四川彭州市竹瓦街	四川博物院
558	圓渦鳥紋鼎	西周	安徽黃山市屯溪區弈棋鎮3號墓	安徽省博物館
558	龍紋錐足鼎	西周	安徽黃山市屯溪區弈棋鎮1號墓	安徽省博物館
559	對鳳紋矮足方鼎	西周	安徽黃山市屯溪區弈棋鎮3號墓	安徽省博物館
559	雷紋鬲	西周	江蘇鎮江市丹徒大港鎮母子墩	江蘇省鎮江博物館
560	變形獸面紋四耳簋	西周	浙江長興縣草樓村	浙江省博物館
560	格地乳釘紋簋	西周	安徽黃山市屯溪區弈棋鎮	安徽省博物館
561	幾何紋簋	西周	安徽黃山市屯溪區弈棋鎮3號墓	安徽省博物館
561	蛙紋簋	西周	安徽黃山市屯溪區弈棋鎮	安徽省博物館
562	方格乳釘紋簋	西周	江蘇丹陽市司徒廟窖藏	江蘇省鎮江博物館
562	宜侯矢簋	西周	江蘇鎮江市丹徒區烟墩山	中國國家博物館
563	幾何紋無耳方簋	西周	安徽黃山市屯溪區弈棋鎮	安徽省博物館
563	雲雷紋尊	西周	江蘇鎮江市丹徒區大港鎮磨盤墩	南京博物院
564	對鳳紋尊	西周	江蘇丹陽市司徒廟窖藏	江蘇省鎮江博物館
565	四蛙棘刺紋尊	西周	安徽黃山市屯溪區弈棋鎮	安徽省博物館
565	鴨尊	西周	江蘇鎮江市丹徒區大港鎮母子墩	江蘇省鎮江博物館
566	鹿首四足卣	西周	江蘇鎮江市丹徒區大港鎮烟墩山	南京博物院
566	鳥蓋提壺	西周	江蘇鎮江市丹徒區大港鎮母子墩	江蘇省鎮江博物館
567	公提梁壺	西周	安徽黃山市屯溪區弈棋鎮	安徽省博物館
567	獸面紋提梁壺	西周		上海博物館
568	鳳紋提梁壺	西周	安徽黃山市屯溪區弈棋鎮	安徽省博物館
568	蟠螭紋提梁壺	西周	安徽黃山市屯溪區弈棋鎮	安徽省博物館
569	蟠龍蓋龍紋盉	西周	江蘇儀徵市破山口	南京博物院
569	蟠龍蓋龍紋盉	西周	安徽黃山市屯溪區弈棋鎮	安徽省博物館
570	蟠龍蓋龍流盉	西周	廣東信宜市光頭嶺	廣東省博物館
570	透雕竊曲紋盤	西周	安徽黃山市屯溪區弈棋鎮	安徽省博物館
571	蟠龍紋盤	西周	江蘇鎮江市丹徒區大港鎮烟墩山	南京博物院
571	變形獸紋盤	西周	安徽黃山市屯溪區弈棋鎮	安徽省博物館
572	魚龍紋盤	西周	江蘇儀徵市破山口	南京博物院
572	雲紋雙腹盒	西周	安徽黃山市屯溪區弈棋鎮	安徽省博物館
573	夔龍紋鐘	西周	安徽宣城市孫家埠	安徽省博物館

頁碼	名稱	時代	發現地	收藏地
573	雲雷紋雙翼劍	西周		臺灣古越閣
574	神面紋鈹	西周		故宮博物院
574	對鳥紋器座	西周	安徽黄山市屯溪區弈棋鎮	安徽省博物館
575	五柱器座	西周	安徽黄山市屯溪區弈棋鎮	安徽省博物館
575	跪坐人器座	西周	安徽黄山市屯溪區弈棋鎮	安徽省博物館
576	刖人守門方鼎	西周	内蒙古寧城縣小黑石溝	内蒙古自治區寧城博物館
577	雙鈴俎	西周	遼寧義縣花爾樓窖藏	遼寧省博物館
577	夔鳳紋簋	西周	内蒙古寧城縣小黑石溝	内蒙古自治區寧城博物館
578	許季姜簋	西周	内蒙古寧城縣小黑石溝石椁墓	内蒙古自治區赤峰市博物館
578	夔紋罍	西周	内蒙古寧城縣小黑石溝石椁墓	内蒙古博物院
579	鹿形飾	西周	内蒙古克什克騰旗龍首山1號墓	内蒙古文物考古研究所
579	鹿首角觴形器	西周	遼寧建平縣董家溝村	遼寧省博物館

[青銅器]

商（公元前十六世紀至公元前十一世紀）

乳釘雷紋簋
商
山西右玉縣大川村出土。
高15.5、口徑24.7厘米。
口沿下飾浮雕獸首和火紋，間飾鳥紋。
腹飾乳釘雷紋，圈足飾獸面紋。
現藏山西省右玉縣博物館。

直綫紋簋
商
陝西清澗縣張家坬村出土。
高26、口徑33.5厘米。
腹部、圈足均飾細密竪綫紋，上下均以聯珠紋為界。高圈足上部有方形鏤孔。
現藏陝西省清澗縣文化館。

277

[青銅器]

商（公元前十六世紀至公元前十一世紀）

| 高足無耳簋
商
山西石樓縣桃花莊出土。
高27.3、口徑33.2厘米。
簋爲無耳敞口型，直口，斜折沿較寬，深腹圜底，下接甚高的圈足，足上端有三個方形鏤孔。在腹壁中部及圈足下部各施細密的直棱紋一周，紋帶上下鑲以聯珠紋。此簋沿寬而足高，直棱紋細密如綫，這些都十分別致而頗具地方特色。現藏山西博物院。

| 乳釘雷紋瓿
商
山西保德縣林遮峪鄉出土。
高21、口徑22厘米。
肩、腹飾棱扉三道，肩飾變形龍紋，腹飾斜方格乳釘雷紋。高圈足飾大方形鏤孔，下飾雷紋。現藏山西博物院。

[青銅器]

商（公元前十六世紀至公元前十一世紀）

獸面紋觚
商
山西石樓縣桃花莊出土。
高32.5、口徑17.1厘米。
腹飾獸面紋，高圈足上部飾十字形鏤孔，
圈足飾變形龍紋。
現藏山西博物院。

鈴豆
商
山西保德縣林遮峪鄉出土。
高10.4、口徑9.9厘米。
口沿內斂，淺盤高圈足，圈足內懸有鈴鐺。
現藏山西博物院。

279

[青銅器]

獸面紋觚
商
山西石樓縣後欄家溝村出土。
高26厘米。
腹飾獸面紋,圈足飾鳥首後有寬條冠羽的鳥紋,紋飾特別。
現藏山西博物院。

變形龍紋帶鈴觚
商
山西石樓縣桃花莊出土。
高32、口徑18厘米。
一反同時期的三段式造型,口大而腰細。器表僅在圈足飾變形龍紋,內懸小鈴。
現藏山西博物院。

[青銅器]

商（公元前十六世紀至公元前十一世紀）

獸面紋斝
商
山西石樓縣後欄家溝村出土。
高37.5、口徑23.4厘米。
菌頂方柱，圜底。柱頂飾渦紋。頸、腹均飾獸面紋。
現藏山西博物院。

獸面紋貫耳壺
商
陝西綏德縣鄔頭村窖藏出土。
高32.7、口徑10厘米。
貫耳、深腹、矮圈足。圈足上有兩個鏤孔。頸部飾凸弦紋及以雲雷紋爲地的獸面紋，上腹飾垂葉紋，圈足飾斜角雲雷紋。
現藏陝西歷史博物館。

281

[青銅器]

商（公元前十六世紀至公元前十一世紀）

雙獸面提梁壺
商
山西石樓縣桃花莊出土。
高42、口長17.5厘米。
深垂腹，圈足，獸頭提梁。腹上部飾雲雷紋爲地的倒獸面紋，腹下部飾雲雷紋爲地的蟬紋，圈足上飾雲雷紋。此壺的花紋也很有特點，主紋倒置，兩面獸面紋的嘴唇正好合成壺口，較寬的腹部正好安排獸面紋的額、角部分，使得壺上紋飾簡潔明快。
現藏山西博物院。

[青銅器]

龍紋觥
商
山西石樓縣桃花莊出土。
長24.1、寬18.8厘米。
觥首作龍頭形,龍首昂起,露齒、柱狀角。背部有蓋,蓋部中間有蘑菇狀鈕。器底有圈足,鈕帽飾渦紋,蓋面作龍的軀體,龍的兩側襯以渦紋和雲雷紋。器側飾鼉紋及首向後端的龍紋,圈足飾目雷紋。此觥器形奇異,在青銅器中是孤例,可能是當地所鑄,反映了商代晉陝高原銅器工藝水平。
現藏山西博物院。

[青銅器]

商（公元前十六世紀至公元前十一世紀）

魚紋盤
商
山西石樓縣桃花莊出土。
高19.7、口徑40厘米。
沿下設三個繫鈕。腹外壁飾目雷紋和聯珠紋，圈足飾獸面紋。腹內壁飾魚紋三條，內底飾渦紋。
現藏山西博物院。

蛇首匕
商
陝西綏德縣鄔頭村窖藏出土。
長36、寬3.5厘米。
匕身呈長舌狀，前闊後窄，有中脊，身柄間有前捲的對捲雲紋格，後接蛇首柄，柄飾鏤空葉脈紋，蛇舌可以活動。此類蛇首匕集中出土于晉陝高原地區，帶有濃厚的北方地區文化特色。
現藏陝西歷史博物館。

[青銅器]

商（公元前十六世紀至公元前十一世紀）

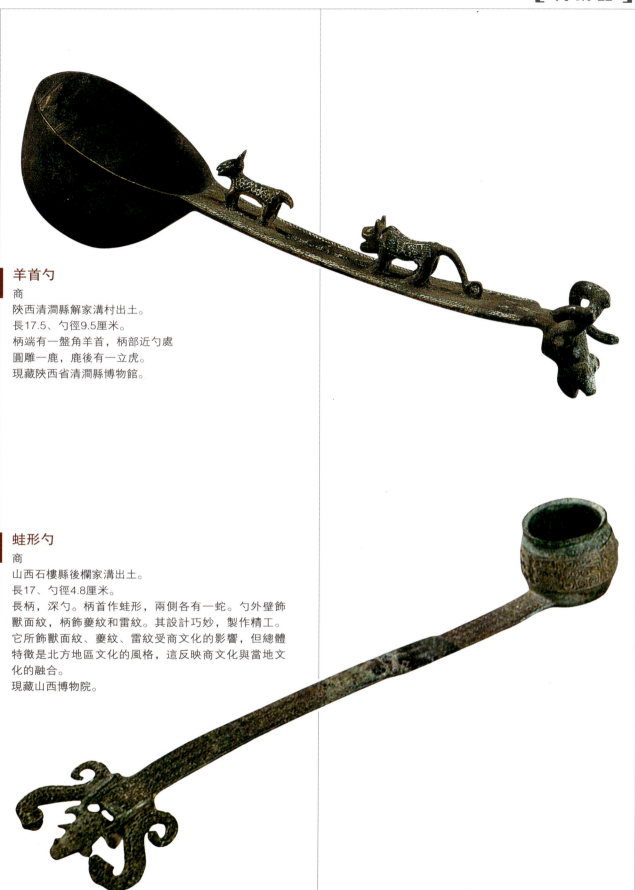

羊首勺
商
陝西清澗縣解家溝村出土。
長17.5、勺徑9.5厘米。
柄端有一盤角羊首，柄部近勺處圓雕一鹿，鹿後有一立虎。
現藏陝西省清澗縣博物館。

蛙形勺
商
山西石樓縣後欄家溝出土。
長17、勺徑4.8厘米。
長柄，深勺。柄首作蛙形，兩側各有一蛇。勺外壁飾獸面紋，柄飾夔紋和雷紋。其設計巧妙，製作精工。它所飾獸面紋、夔紋、雷紋受商文化的影響，但總體特徵是北方地區文化的風格，這反映商文化與當地文化的融合。
現藏山西博物院。

285

[青銅器]

商（公元前十六世紀至公元前十一世紀）

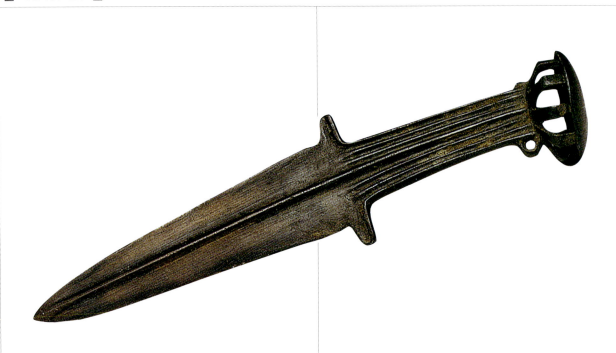

曲莖鈴首短劍
商
長24.2厘米。
劍體中部起凸脊貫連莖部，扁莖略呈弧曲，上飾弦紋。拱柱形圓首，內置一鈴，側角有一環扣。
現藏臺灣。

環首刀
商
內蒙古伊金霍洛旗朱開溝1040號墓出土。
長34.1厘米。
環首曲柄，中間內凹。柄、刃間有齒狀欄，刀尖上翹。
現藏內蒙古自治區文物考古研究所。

[青銅器]

龍首匕
商
內蒙古準格爾旗柴達木鎮徵集。
長22.2厘米。
龍首蛇身,器體細長,兩側附八個半圓形環。匕首正面中脊隆起,兩側飾短綫紋,類似蛇皮。
現藏內蒙古自治區鄂爾多斯博物館。

帶鈴鐸（右圖）
商
山西石樓縣曹家塬墓葬出土。
高29厘米。
長甬,甬部有橋形鈕三組,每組三個。鐸的鉦部有兩層整齊的長方形鏤孔,其間有四組橋形鈕,有的鈕穿挂有小鈴。鐸口微內弧。在鉦部飾以細密的雲雷紋。此器從形態看,顯然不是用桴敲擊的鐘,而是振動發聲的鐸。鐸身鏤孔,鐸柄和鐸身布列小鈕,鈕上還帶鈴,這些都非常別致。
現藏山西博物院。

商（公元前十六世紀至公元前十一世紀）

287

[青銅器]

凸目尖耳大神面像
商
四川廣漢市三星堆遺址2號祭祀坑出土。
高65、寬138厘米。
這種銅面像形體很大，形象總體似人而局部又非人，均爲方頤尖耳，寬眉大眼，目睛凸起，高鼻闊嘴，嘴角上翹，帶有神密的笑意。巨大的形體，聳立的尖耳，凸出于眼眶外的目睛，這些都賦予了這凸目銅面像以超人的神性，表現出它們在三星堆銅像群中的尊崇地位。該像祇表現神面的前面及兩側，後部及上下開敞，斷面呈凹字形。其左右兩側及前額均有長方形穿孔，估計原來是固定在某種木製的像設或柱子上。結合三星堆其他銅像的信息，該神像的完整形態是人首鳥身。三星堆2號坑共出土類似的銅神面像三具，此爲居中的最大一具。它是目前所知的最大的先秦銅像之一。
現藏四川省三星堆博物館。

[青銅器]

商（公元前十六世紀至公元前十一世紀）

289

[青銅器]

商（公元前十六世紀至公元前十一世紀）

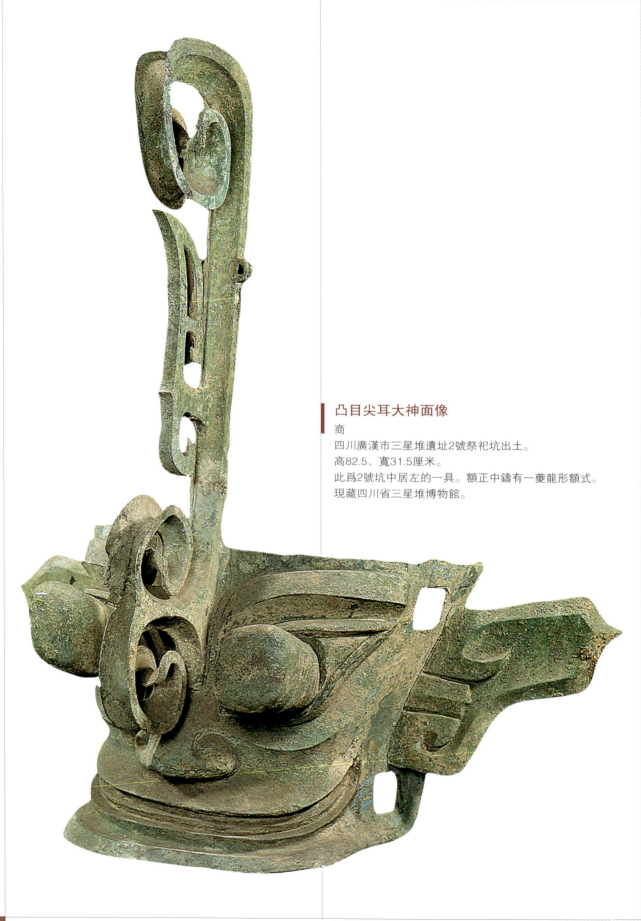

凸目尖耳大神面像
商
四川廣漢市三星堆遺址2號祭祀坑出土。
高82.5、寬31.5厘米。
此爲2號坑中居左的一具。額正中鑄有一夔龍形額式。
現藏四川省三星堆博物館。

[青銅器]

商（公元前十六世紀至公元前十一世紀）

獸面具
商
四川廣漢市三星堆遺址2號祭祀坑出土。
高20.8、寬26.9厘米。
方形扁片狀器。頭頂有劍峰和勾雲形飾。勾雲狀雙耳，
嘴角兩側有穿孔，頜下有相向的一對夔龍承托。
現藏四川省三星堆博物館。

獸面具
商
四川廣漢市三星堆遺址2號祭祀坑出土。
高21.6、寬39厘米。
扁片形器，獸面呈一對夔龍向兩面展開狀，捲角，龍尾
上捲，雙眉直達龍尾端，大眼，長直鼻，闊口，露齒，
夔龍形雙耳。額頭有劍鋒狀飾物，面具四角有小孔。
現藏四川省三星堆博物館。

[青銅器]

太陽形器

商
四川廣漢市三星堆遺址2號祭祀坑出土。
直徑84厘米。
器中間爲圓凸形，周圍有放射狀五芒，芒外有一周暈圈。圓凸中心與暈圈有六個小孔。
現藏四川省三星堆博物館。

[**青銅器**]

商（公元前十六世紀至公元前十一世紀）

眼形器
商
四川廣漢市三星堆遺址2號祭祀坑出土。
長54.8、寬12.7厘米。
由兩件各有五個圓孔的鈍三角形器組成菱形器，周邊斜平，眼球凸起。
現藏四川省三星堆博物館。

人面像
商
四川廣漢市三星堆遺址2號祭祀坑出土。
高25、寬27.3厘米。
方臉，嘴角下鉤，耳輪勾雲狀，耳垂穿孔，耳際上下各有一穿。
現藏四川省三星堆博物館。

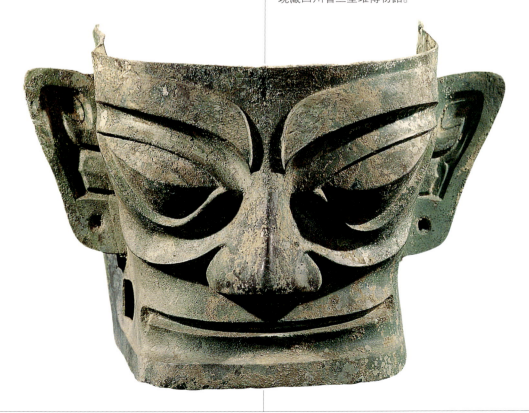

293

[青銅器]

商（公元前十六世紀至公元前十一世紀）

人面像
商
四川廣漢市三星堆遺址2號祭祀坑出土。
高26.6、寬40.2厘米。
方臉，勾雲形耳廓，耳垂穿孔，耳際上下各有一方形穿。額中部穿孔未鑿穿。
現藏四川省三星堆博物館。

人面像
商
四川廣漢市三星堆遺址2號祭祀坑出土。
高26、寬40.8厘米。
耳輪勾雲狀，耳垂穿孔未透。額正中、耳際上下各有一方孔。眉、眼描黛，口唇塗朱。
現藏四川省三星堆博物館。

294

[青銅器]

商（公元前十六世紀至公元前十一世紀）

人面像
商
四川廣漢市三星堆遺址2號祭祀坑出土。
高15.2、寬19厘米。
長方臉，耳輪勾雲形。耳垂穿孔，耳際上下各有一方孔。嘴唇緊閉，嘴角下鈎。
現藏四川省三星堆博物館。

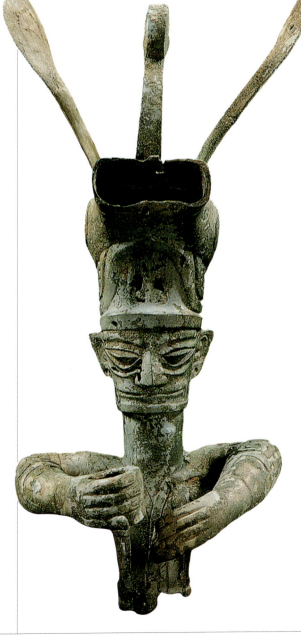

獸面冠人像
商
四川廣漢市三星堆遺址2號祭祀坑出土。
殘高40.2、冠耳高16、兩肘寬23.2厘米。
頭戴獸首形冠，冠頂兩側獸耳聳立，中有一象鼻狀裝飾物，兩側有獸眼，扁長方形獸口朝前，上下及右方各有一圓孔。雙手在前方呈執物狀，着對襟衣，腰間繫帶兩周，于腹前打結，結中插觿。衣前後飾鏤孔雲雷紋，袖飾夔龍紋。
現藏四川省三星堆博物館。

[青銅器]

商（公元前十六世紀至公元前十一世紀）

帶座大立人像
商
四川廣漢市三星堆遺址2號祭祀坑出土。
通高260、人高163.5厘米。
此像大小與真人相仿，用笄束髮，頭戴花冠，濃眉大眼，闊嘴長耳，耳上穿孔可戴耳飾。身體修長，外着左衽龍紋短袖衣，内着雙尾長袖袍。雙手彎曲舉胸前，手中似各持一物。赤足戴脚鐲，立于雙層方座上。座的上層爲四個長鼻獸首托負的平臺，臺的四面在聯珠紋框内飾雲雷紋地的連心對角雲紋。座下層則爲上小下大的素面方臺。立像偉岸莊嚴，氣勢軒昂，衣着華麗，它是中國已知體量最大的先秦銅像設。
現藏四川省三星堆博物館。

296

[青銅器]

商（公元前十六世紀至公元前十一世紀）

大柳樹
商
四川廣漢市三星堆遺址2號祭祀坑出土。
殘高396厘米。
樹下爲圓環形底座，座上三道流水形斜撐托負樹幹，斜撐間以透空雲水紋屏障。樹幹挺拔筆直，旁出樹枝三層，每層三枝，每枝各栖一鳥。枝幹上挂綴有花、葉、果、鈴及飛禽走獸等物，一條長約兩米的垂龍蜿蜒樹上。該銅樹枝條形如柳樹，估計是中國古代神話中形如柳樹的"若木"。根據神話，若木位于西方日落之處，其枝頭上有十日。此大銅樹形狀恰爲九鳥在下枝，推測在殘缺的頂枝上原先還有一鳥，十鳥代表十人，也正與神話相吻合。它對探討中國古代十日代出神話的形成時間和流布地域，具有重要價值。它是中國已知最爲高大的先秦銅像設。
現藏四川省三星堆博物館。

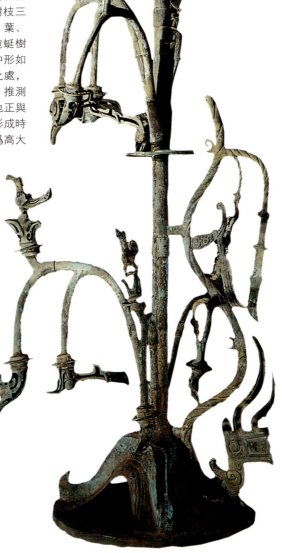

297

[青銅器]

神樹
商
四川廣漢市三星堆遺址2號祭祀坑出土。
殘高193.6、樹幹殘高142厘米。
由樹與樹座兩部分組成。樹幹殘，鑄于樹座正中，樹座喇叭狀，三足拱起如樹根，一面殘缺，另兩面均飾雲紋鏤空，各鑄一跪坐捧物人像。
現藏四川省三星堆博物館。

人首鳥身神像
商
四川廣漢市三星堆遺址2號祭祀坑出土。
高12厘米。
神像爲人首鳥身，戴雙翼高冠，凸目尖耳。兩翼及尾羽作寬大勾雲狀，立于神樹枝頭花蕾上。
現藏四川省三星堆博物館。

[青銅器]

商（公元前十六世紀至公元前十一世紀）

人頭像
商
四川廣漢市三星堆遺址1號祭祀坑出土。
殘高25、殘寬20.4厘米。
頭頂子母口內斂，前後各有二小圓孔，原應安裝頭飾或冠。面部棱角分明，嘴角上翹，雲雷紋豎耳，耳垂有穿孔。頸前後被火燒殘。
現藏四川省三星堆博物館。

人頭像
商
四川廣漢市三星堆遺址1號祭祀坑出土。
殘高29、寬20.6厘米。
頭頂子母口，面部圓潤豐腴，嘴角上翹。雲雷紋豎耳，耳垂有穿孔。頸下端外敞，前後均被火燒殘。
現藏四川省三星堆博物館。

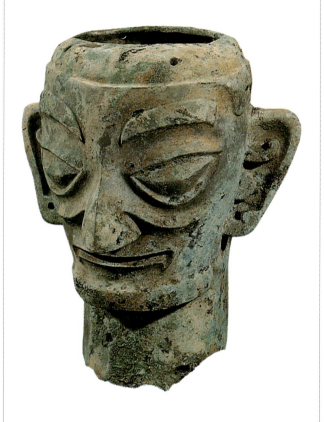

[青銅器]

金面人頭像
商
四川廣漢市三星堆遺址2號祭祀坑出土。
高42.5厘米。
同樣人頭像兩件，此爲其一。像的大小與真實人頭部大小相近。形象爲平頂辮髮，闊眉大眼，鼻高且闊，大嘴緊閉，雙耳下有懸挂耳環的穿孔。高頸中空，下端略寬且作三角形，估計原先銅製的頭像下還插有木製的身軀。頭像臉部，凡是表現皮膚的部位均用金箔妝點，使得銅像眉睛分明。金箔是用漆作粘合劑，并輔之以錘鍱工藝而妝成，粘接緊密，有鎏金工藝的效果。
現藏四川省三星堆博物館。

金面人頭像側面

[青銅器]

商（公元前十六世紀至公元前十一世紀）

金面人頭像
商
四川廣漢市三星堆遺址2號祭祀坑出土。
高48.1厘米。
由銅頭像與金面罩組成，頭像上鑄出與面罩大小相同的輪廓綫。頭髮從後往前梳理，腦後有插戴飾件的穿孔。長條形耳廓，耳垂穿孔，頸後鑄成倒三角形。金面罩以金箔打製，眼、眉鏤空。
現藏四川省三星堆博物館。

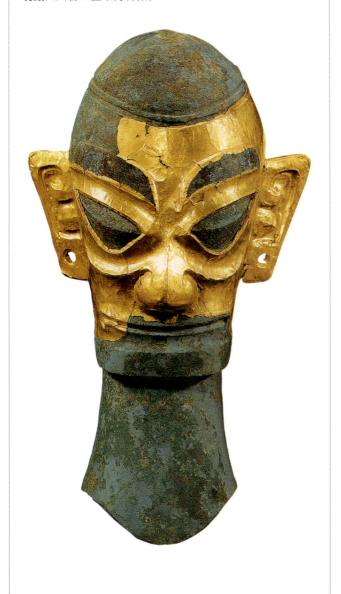

金面人頭像側面

301

[青銅器]

戴幘人頭像
商
四川廣漢市三星堆遺址2號祭祀坑出土。
高46.6、頭高24厘米。
同型人頭像共三件，此為其一。像濃眉大眼，闊鼻長耳，耳垂有穿挂耳飾的圓孔，頸部粗長，下端作三角形，其内中空，可以將頭像安插在木柱或其他質料的身軀中。其髮飾最有特色，頭部僅頂部保留頭髮，髮向後梳，用中幘扎成雙翼結。此像造型清秀雅致，爲三星堆銅人頭像的代表性佳作。
現藏四川省三星堆博物館。

戴幘人頭像背面

人頭像

商

四川廣漢市三星堆遺址2號祭祀坑出土。
高39.3厘米。
平冠,頂殘缺,耳垂穿孔,頸下前後鑄成倒三角形,
頭髮結辮,垂于腦後,上端扎束。
現藏四川省三星堆博物館。

人頭像背面

[青銅器]

商（公元前十六世紀至公元前十一世紀）

人頭像
商
四川廣漢市三星堆遺址2號祭祀坑出土。
高13.6厘米。
圓頭頂，頭戴辮索形圓箍，圓耳廓，外緣上有三圓孔。
現藏四川省三星堆博物館。

人頭像
商
四川廣漢市三星堆遺址2號祭祀坑出土。
高40.4厘米。
平頭頂，刀狀長眉，雲雷形耳，耳垂穿孔。闊口，閉嘴，寬下頜，粗頸，髮辮垂於腦後，上端扎束。
現藏四川省三星堆博物館。

[青銅器]

跪坐人像
商
四川廣漢市三星堆遺址2號祭祀坑出土。
高13.3、寬5.6厘米。
頭頂戴"箍",面部有面罩,眼、眉及顴顬描黛。雙手捧腹,左腿弓立,右膝着地跪坐,身着對襟長袖服,腰間繫帶兩周。
現藏四川省三星堆博物館。

跪坐人像
商
四川廣漢市三星堆遺址1號祭祀坑出土。
高14.6、寬8.2厘米。
髮後梳再前捲形成高髻。圓眼直視,張口露齒,耳飾雲紋,耳垂穿孔。上身穿右衽交領長袖短衣,腰繫帶兩周,下身着犢鼻褌,足上套襪,手腕各戴二鐲,雙手撫膝跪坐。
現藏四川省三星堆博物館。

商(公元前十六世紀至公元前十一世紀)

[青銅器]

喇叭座頂尊跪坐人像（右圖）
商
四川廣漢市三星堆遺址2號祭祀坑出土。
高15.6、底高5.3、底座直徑10厘米。
鏤空喇叭形座，飾三等距扉棱，座底接三支釘。座頂鑄一頭上頂尊的跪坐人像。人像上身裸露，乳頭凸出，下身着裙，腰間繫帶。尊蓋鈕殘斷，蓋飾山形紋，腹飾獸面紋。
現藏四川省三星堆博物館。

銅怪獸
商
四川廣漢市三星堆遺址2號祭祀坑出土。
高4、長7.8厘米。
昂首右顧，鹿首馬蹄，歧尾粗大，一尾下垂，一尾勾捲。
現藏四川省三星堆博物館。

[青銅器]

商（公元前十六世紀至公元前十一世紀）

蛇形飾件
商
四川廣漢市三星堆遺址2號祭祀坑出土。
殘長54厘米。
軀體細長，蛇頭昂起，眼瞼上鈎，腹兩側有半圓形挂耳，尾捲曲。脊飾菱形目紋，腹飾鱗紋。
現藏四川省文物考古研究所。

鑲嵌綠松石虎形飾
商
四川廣漢市三星堆遺址鴨子河出土。
長38厘米。
扁平，滿飾虎斑紋，嵌綠松石，四足呈行進狀，腿部上下有四穿孔。
現藏四川省廣漢市文物保管所。

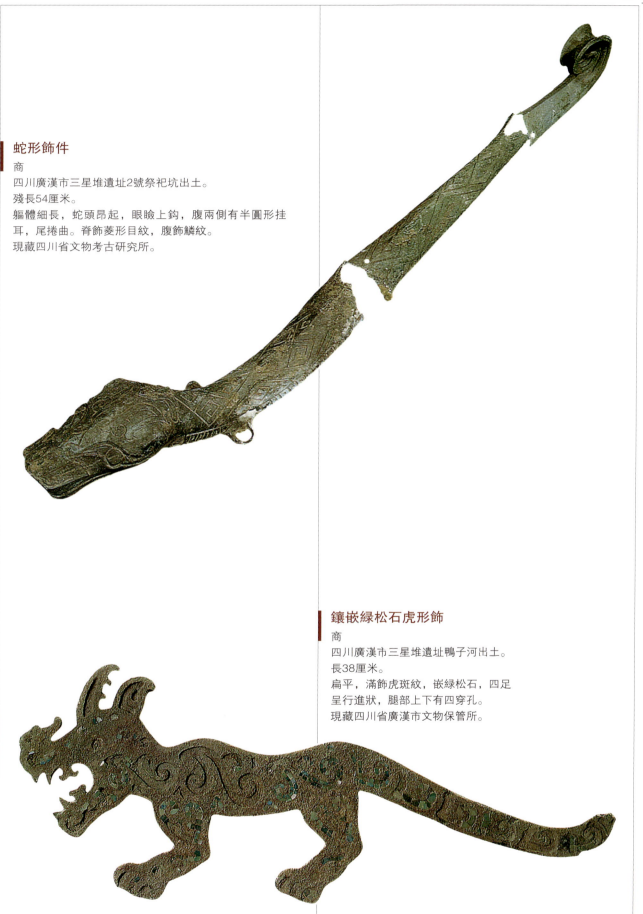

[青銅器]

龍形飾件
商
四川廣漢市三星堆遺址2號祭祀坑出土。
高33、寬12厘米。
昂首露齒，上吻後捲，頭有倒置夔龍狀角，角前有羽翅，下唇有半圓形環鈕。
現藏四川省三星堆博物館。

公雞
商
四川廣漢市三星堆遺址2號祭祀坑出土。
高14.2、長11.7厘米。
公雞挺胸昂首，身體肥碩，尾羽豐滿，立於方座上。
現藏四川省三星堆博物館。

[青銅器]

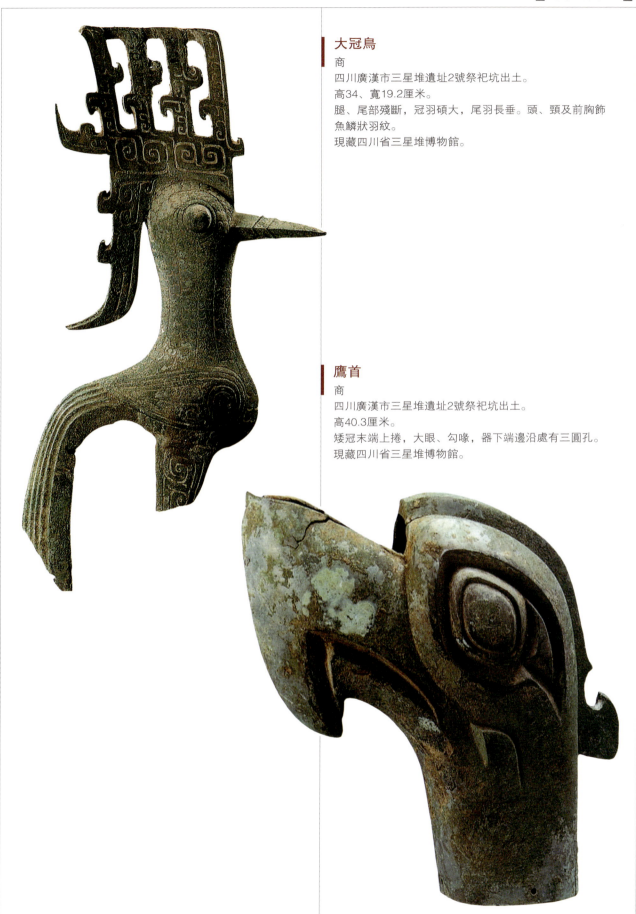

大冠鳥
商
四川廣漢市三星堆遺址2號祭祀坑出土。
高34、寬19.2厘米。
腿、尾部殘斷，冠羽碩大，尾羽長垂。頭、頸及前胸飾魚鱗狀羽紋。
現藏四川省三星堆博物館。

鷹首
商
四川廣漢市三星堆遺址2號祭祀坑出土。
高40.3厘米。
矮冠末端上捲，大眼、勾喙，器下端邊沿處有三圓孔。
現藏四川省三星堆博物館。

商（公元前十六世紀至公元前十一世紀）

[青銅器]

商（公元前十六世紀至公元前十一世紀）

飛鳥
商
四川廣漢市三星堆遺址2號祭祀坑出土。
高7.2、寬11.6厘米。
鳥呈飛翔狀。頭部兩冠羽，兩翼及尾羽均上下分叉，羽端皆呈桃形，中有圓孔。
現藏四川省三星堆博物館。

鳥
商
四川廣漢市三星堆遺址2號祭祀坑出土。
高9、寬6.5厘米。
尾及一腿殘。雙歧冠，勾喙中套一銅環，翅、尾均上捲，尾梢鑄成雙勾雲雷紋狀。
現藏四川省三星堆博物館。

【 青銅器 】

商（公元前十六世紀至公元前十一世紀）

立鳥（上圖）
商
四川廣漢市三星堆遺址2號祭祀坑出土。
高21.4厘米。
鳥頭頂中空，鷹嘴狀勾喙，展翅，尾上翹。
現藏四川省文物考古研究所。

立鳥
商
四川廣漢市三星堆遺址2號祭祀坑出土。
高27.8、寬15.4厘米。
鳥冠及尾部殘斷，鳥喙穿孔，背部聳起羽翅一支，上部歧出三枝，端飾鏤孔。立于圓座之上，圓座中空。
現藏四川省三星堆博物館。

[青銅器]

商（公元前十六世紀至公元前十一世紀）

龍虎尊
商
四川廣漢市三星堆遺址1號祭祀坑出土。
殘高44、肩徑32、足徑22厘米。
肩部浮雕三龍，龍首下出扉棱，身飾重環紋。扉棱間飾一首雙身虎紋三組，虎口下鑄一人形，雙臂齊肩，兩腿蹲踞，周飾雲雷紋、捲龍紋和羽紋。圈足上飾三個十字形鏤孔，下飾獸面紋，間飾扉棱。
現藏四川省文物考古研究所。

三牛尊
商
四川廣漢市三星堆遺址2號祭祀坑出土。
高31.5、口徑34厘米。
肩浮雕三個牛頭，飾獸面紋。腹、圈足飾雙夔龍獸面紋，均以雲雷紋襯地。圈足上部飾三方形鏤孔，下部有六個圓孔。
現藏四川省文物考古研究所。

[青銅器]

三牛三鳥尊
商
四川廣漢市三星堆遺址2號祭祀坑出土。
高45.5、口徑43.5厘米。
肩浮雕三顆外捲角牛頭，間飾三立鳥，其間飾象鼻龍紋。腹、圈足均飾扉棱三道，飾獸面紋和夔龍紋。均以雙勾雲雷紋襯地。圈足上部有三方形鏤孔。
現藏四川省文物考古研究所。

三羊三鳥尊
商
四川廣漢市三星堆遺址2號祭祀坑出土。
高45.5、口徑42.6厘米。
肩浮雕羊首，與三立鳥相間。羊首角間亦有立鳥，飾象鼻龍紋。腹、獸足均飾獸面紋，間飾扉棱，均以雙勾雲雷紋襯地。
現藏四川省文物考古研究所。

商（公元前十六世紀至公元前十一世紀）

[青銅器]

獸面紋尊
商
四川廣漢市出土。
高35.5、口徑22.5厘米。
腹、圈足飾粗獷獸面紋,圈足内側鑄有"㕜㕜"字。
現藏四川省文物考古研究所。

四羊罍
商
四川廣漢市三星堆遺址2號祭祀坑出土。
高34、口徑21厘米。
罍爲折肩直腹型。形制爲直口方唇,短直領,斜窄肩,深直腹,下腹圓轉,矮圈足。四羊首緊貼着下腹壁上。頸上施弦紋四道,肩上及肩下飾夔龍紋,腹中部在兩道聯珠紋間飾以獸面紋,其下爲帶目雲雷紋,圈足也施夔龍紋。獸面紋和夔龍紋皆以雲雷紋襯底,不過其主題紋樣與襯托地紋綫條粗細相仿,主次仍欠分明。
現藏四川省三星堆博物館。

[青銅器]

四羊首獸面紋罍
商
四川廣漢市三星堆遺址2號祭祀坑出土。
高54、口徑26.5厘米。
肩、腹、圈足通飾扉棱四道。肩外緣鑄四顆外捲角羊頭，間飾四立鳥，中間飾象鼻龍紋。腹、圈足飾獸面紋和乳釘紋，圈足上端有四方形鏤孔，下端有六個小圓孔。
現藏四川省文物考古研究所。

商（公元前十六世紀至公元前十一世紀）

[青銅器]

商（公元前十六世紀至公元前十一世紀）

齒刃長援戈
商
四川廣漢市三星堆遺址1號祭祀坑出土。
長19.7、寬4.7厘米。
長援，方欄，長方内。援兩邊各有七齒尖，兩面正中起脊。欄上有圓穿。
現藏四川省文物考古研究所。

齒刃長援戈
商
四川廣漢市三星堆遺址2號祭祀坑出土。
長21厘米。
扁平體，等腰三角形援，鋸齒狀刃口，正中起脊，欄較寬，中有圓穿。長方形内。
現藏四川省文物考古研究所。

[青銅器]

花蒂形鈴
商
四川廣漢市三星堆遺址2號祭祀坑出土。
高12.2、口徑6.8厘米。
喇叭花形，頂部爲花托，上有環鈕。鈴上部圓果狀，飾波曲圓圈紋，下部爲四花瓣，飾聯珠紋，鈴舌呈四瓣花柱狀。
現藏四川省三星堆博物館。

鷹形鈴
商
四川廣漢市三星堆遺址2號祭祀坑出土。
高14厘米、寬8.1厘米。
鷹作昂首蹲栖狀，前後有羽狀翼，翼、鈴兩面均有羽狀紋飾。勾喙拱鈕，鈕上套"8"字形鏈環。鈴舌獠牙狀，上端圓環形，套于內頂環鈕上。
現藏四川省三星堆博物館。

商（公元前十六世紀至公元前十一世紀）

[青銅器]

商（公元前十六世紀至公元前十一世紀）

▍獸面紋鈴
商
四川廣漢市三星堆遺址2號祭祀坑出土。
高7.3厘米。
橫斷面呈長橢圓形，頂有半圓形鈕，兩側有薄翼，面飾獸面紋，上塗硃砂，兩側以雲雷紋為地。
現藏四川省三星堆博物館。

▍獸面紋鈴
商
四川廣漢市三星堆遺址2號祭祀坑出土。
高7.6厘米。
橫斷面呈長橢圓形，頂有環鈕，鈕下有二小圓孔。兩面呈虎頭狀，虎口露六方齒，二獠牙相咬合。
現藏四川省三星堆博物館。

[青銅器]

鑲嵌綠松石飾牌
商
四川廣漢市三星堆遺址出土。
長14厘米。
一面微拱如瓦、通飾勾雲紋鏤孔，兩側邊緣上下各有半圓穿鈕。出土時表面沾有朱色顏料。
現藏四川省文物考古研究所。

鸛鳥紋雙足牌
商
四川廣漢市三星堆遺址2號祭祀坑出土。
高46.4、背部上寬17、下寬17.6厘米。
人背形器，中有脊棱，下有雙腿。牌上飾上、下兩組鸛鳥紋，其間爲網紋。
現藏四川省三星堆博物館。

商（公元前十六世紀至公元前十一世紀）

[青銅器]

商（公元前十六世紀至公元前十一世紀）

獸面紋四足鬲

商

陝西城固縣龍頭鎮龍頭村出土。
高23.2、口徑21厘米。
鬲爲四足直領型。寬沿外折，高直領，領下接四個分襠袋足，中實足根。紋飾均陰綫組成，頸部在四道弦紋間飾反轉雷紋，袋足上各飾一雙目突起的獸面紋。此鬲四足，形制特殊，不排除是瓿鬲部的可能。
現藏陝西歷史博物館。

乳釘雷紋小錾簋

商

陝西城固縣龍頭鎮龍頭村。
高16.5、口徑26.3、足徑18厘米。
形制爲斜折沿，寬方唇，直腹壁，中圈足，口沿下施對稱的獸首小錾，圈足上段有十字形鏤孔三個。紋飾由陰綫組成，腹上部飾一周斜角雲目紋，中下部飾勾連雷紋及乳釘紋，圈足也飾一周斜角雲目紋。主紋中的乳釘僅一層，與以後的百乳雷紋不同。
現藏陝西省城固縣文化館。

[青 銅 器]　商（公元前十六世紀至公元前十一世紀）

乳釘雷紋簋
商
陝西城固縣五郎廟出土。
高17.3、口徑24厘米。
口沿下飾夔形目雷紋一周，腹飾乳釘雷紋，高圈足飾獸面紋一周。
現藏陝西歷史博物館。

獸面紋羊首尊
商
陝西城固縣龍頭鎮出土。
高24、口徑17.7厘米。
敞口，束頸，圓肩，鼓腹，高圈足。頸飾弦紋，肩飾三個高浮雕羊首，間飾以聯珠紋爲欄的夔紋，腹飾獸面紋，亦以聯珠紋爲界，圈足有三個圓形鏤孔，其下飾夔紋。
現藏陝西省城固縣文化館。

[青銅器]

獸面紋高頸罍

商

陝西城固縣龍頭鎮龍頭村出土。
高36.9、口徑22厘米。
形制為斜折沿、高直頸、窄折肩、斜淺腹、折壁式圈足，圈足上有三個十字形鏤孔。紋飾繁富，頸上有三道弦紋，肩上有一周夔目紋，腹飾大獸面紋。紋飾由寬平的綫條組成，主體獸面的鼻、眼、眉、角凸起，但器內相應部位則凹入，這是殷墟早期銅器流行的紋飾做法。現藏陝西歷史博物館。

[青銅器]

商（公元前十六世紀至公元前十一世紀）

獸面紋罍
商
陝西城固縣龍頭鎮出土。
高34、口徑22厘米。
頸飾弦紋，肩飾夔紋，腹飾獸面紋且上下以夔紋爲欄，高圈足飾夔紋及鏤孔。
現藏陝西省城固縣文化館。

對鳥紋銅方罍
商
陝西城固縣蘇村窖穴出土。
高51.5、口長15.3厘米。
方罍兩件成對，銅色、形制、紋飾全同，大小略异，此選其一。屋頂形蓋，蓋上有鈕。直口，鼓肩，平底，肩上有半球狀鈕。蓋上施倒置的獸面紋，頸部飾簡化獸面紋，肩部施對鳥紋，肩腹間施相間的旋渦紋及夔龍紋，腹部施夔龍及蟬組成的垂葉紋。動物紋樣均以雲雷紋襯底，其上還用雙捲雲紋裝點。該罍造型和紋飾與殷墟婦好墓婦好方罍完全相同。
現藏陝西省城固縣文化館。

[青銅器]

商（公元前十六世紀至公元前十一世紀）

獸面紋瓿
商
陝西洋縣馬暢鎮出土。
高32、口徑25.2厘米。
肩飾變形龍紋，腹、圈足飾獸面紋，均以雷紋、羽紋襯地。
圈足飾鏤孔。
現藏陝西省洋縣博物館。

獸面紋瓿
商
陝西城固縣五郎廟出土。
高30、口徑24.2厘米。
肩飾三對稱高浮雕捲角羊首，羊首間、腹、足均飾獸面紋，并以雷紋襯地。圈足飾三方形鏤孔。
現藏陝西省城固縣文化館。

324

獸面紋壺
商
陝西城固縣龍頭鎮出土。
高27.5、口徑6厘米。
蓋頂飾四組獸面紋并間以聯珠紋，肩附繩索狀提梁。肩飾夔紋，腹飾獸面紋并以聯珠紋為界紋。圈足有二鏤孔。
現藏陝西歷史博物館。

獸面紋壺
商
陝西城固縣龍頭鎮出土。
高31.5、口徑9.9-12.5厘米。
侈口，折肩，深鼓腹，矮圈足。蓋飾獸面紋和聯珠紋，頂有一菌狀鈕。頸附提梁，外飾雲紋。肩飾夔紋和聯珠紋，腹飾獸面紋并以目雲紋為欄，矮圈足飾有方形鏤孔。
現藏陝西省城固縣文化館。

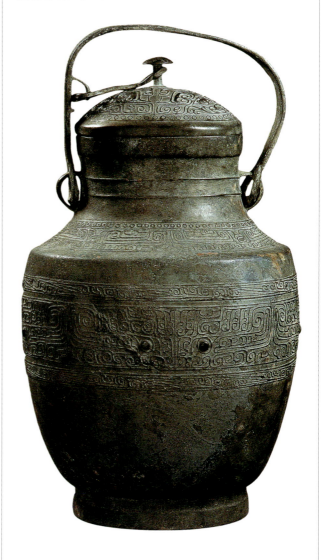

[青銅器]

商（公元前十六世紀至公元前十一世紀）

獸面紋三足壺
商
陝西城固縣龍頭鎮出土。
高31.5、口徑8厘米。
直口，深鼓腹，下附三獸頭形足。頸部有對稱鈕，蓋、腹飾獸面紋，口下飾雷紋，肩飾夔紋。
現藏陝西省城固縣文化館。

獸面紋觚
商
陝西城固縣龍頭鎮出土。
高19.7、口徑12厘米。
腰上部飾弦紋，其下飾變形獸面紋且上下以聯珠紋為界，圈足飾弦紋、目雲紋及十字形鏤孔。
現藏陝西省城固縣文化館。

[青銅器]

商（公元前十六世紀至公元前十一世紀）

獸面紋獨柱爵
商
陝西城固縣龍頭鎮出土。
高17、流尾長13厘米。
流口分界明顯，間立菌狀獨柱，圜底。腹飾獸面紋。上下界以聯珠紋。下獸面紋帶中斷。
現藏陝西歷史博物館。

鳳鳥紋獸形匜
商
陝西洋縣張村出土。
高19.2、長22厘米。
匜蓋及器身相合成立獸形，獸尖嘴大耳，雙角內捲如蟠蛇，四足粗壯，尖尾下垂。獸首蓋從流口罩至牛臀部，蓋上前部爬一夔龍咬住獸首，後部栖一捲尾鳳鳥，這些立體的獸鳥在器蓋上起着鏨梁的作用。器流較短，前端開在獸首的下頜下，頸下有扉棱一道。全器除四足內側和腹下外均以雲雷紋地的立鳥紋，每隻鳥的足正與器足相應。
現藏陝西省洋縣博物館。

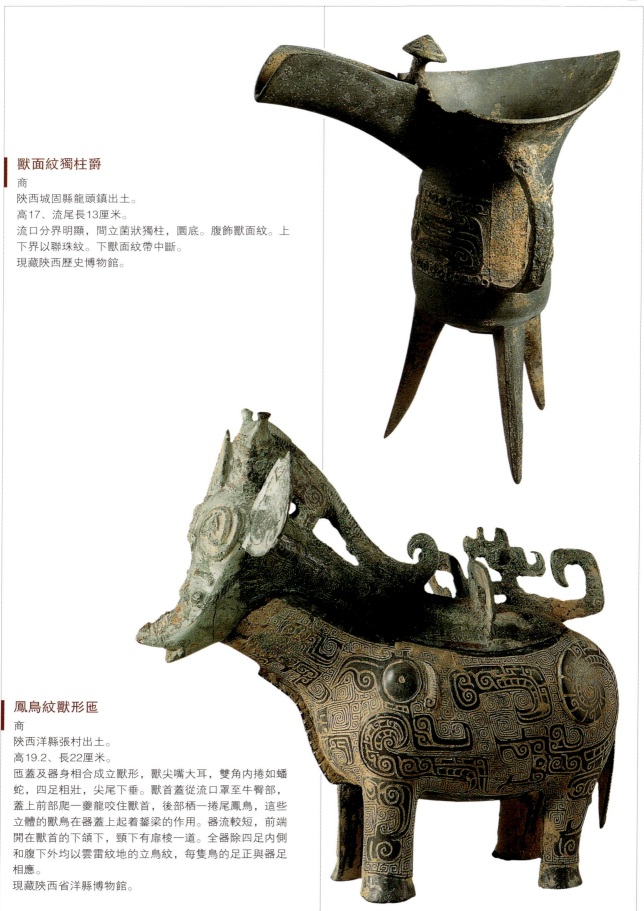

[青銅器]

商（公元前十六世紀至公元前十一世紀）

透空龍紋鉞
商
陝西城固縣五郎廟出土。
高17厘米。
鉞屬直內型，弧刃較寬，兩角外展，本部中央爲一直徑九厘米的凸緣大圓穿，中有透高團身龍一條，近欄處有一長穿，長方形內中有三角形穿。此鉞整體形態仿商文化銅鉞，但刃部弧起如圓邊，透空的團身龍紋，還是具有一些地方色彩。
現藏陝西省城固縣文化館。

透雕龍紋鉞
商
陝西城固縣五郎廟出土。
高17、刃寬12厘米。
弧刃兩端翹起，長方形內有三角獸面形穿，援部透雕龍紋。
現藏陝西省城固縣文化館。

328

[青銅器]

商（公元前十六世紀至公元前十一世紀）

雙頭蜈蚣紋戈
商
陝西城固縣五郎廟出土。
長26厘米。
長方形內，內上一穿，後端有一倒刺。三角形援，飾雙頭蜈蚣浮雕，身飾斜方格紋，以蜈蚣爲戈脊。
現藏陝西省城固縣文化館。

獸面紋鼎
商
湖南寧鄉縣出土。
高22.8、口徑14.7厘米。
袋腹分襠，三棱柱足較細。頸飾斜角目雷紋，袋腹飾三組羊角分解式獸面紋，羊角大而凸起。
現藏湖南省博物館。

[青銅器]

大禾人面方鼎

商

湖南寧鄉縣采集。

高38.5厘米,口長29.8、寬23.7厘米。

鼎口略大于底。厚立耳,耳輪上端呈尖角狀。口沿斜折,方唇,腹壁直而向下略收。四足爲上部略粗的實柱足。鼎的四隅及相應的柱足上部有扉棱。在鼎耳外側鑄陰綫的夔龍紋,鼎身四面正中鑄高浮雕狀的人面,兩側有雙角、雙耳和雙爪,鼎足上部各飾一獸面紋。鼎内壁一側鑄有"大禾"的銘文。該鼎四面均以人面爲主題而不是商周銅器常見的獸面,有學者根據古文獻中"黄帝四面"的傳説,認爲這象徵着具有四張臉的黄帝。

現藏湖南省博物館。

四羊方尊
商

湖南寧鄉縣月山鋪轉耳侖出土。
高58.3、口邊長52.4厘米。
形制為侈口方唇、長頸折肩、圈足斜侈，尊的四中四隅從上至下均有細長的扉棱。頸部飾蕉葉紋和捲角獸面紋，在肩部以下四角處各有一立羊。羊頭及上身伸出器表，前足直抵器足下端，羊身飾有夔龍紋和鱗紋，造型生動逼真。四羊尊鑄製精良，造型別具匠心，其動物附飾從頭表現到足，精美絕倫。
現藏中國國家博物館。

[青銅器]

商（公元前十六世紀至公元前十一世紀）

[青銅器]

象形尊

商
高61.5厘米。
器壁甚薄，呈青黑色。象鼻較短上翹，雙耳橫張，小尾右捲，四足粗巨。象背開口，器蓋已失。象腹兩側飾牛角獸面主紋，兩旁加飾倒夔紋，主紋周圍襯以雲雷紋，象鼻兩側、四足中段和器口周邊還飾以鱗片紋。象尊造型古樸，是已經發現的年代最早、體量最大的象形銅尊。
現藏法國巴黎吉美美術館。

[青銅器]

象形尊

商
湖南醴陵市獅形山出土。
高22.8、長26.5厘米。
尊蓋已失，橢圓形尊口開于象背之上。象鼻上甩，鼻頭前伸，鼻端有孔經鼻管與腹腔相通，象鼻實際上起着流的作用。象的整體形態是寫實的，就像是一頭在奔走中突然停下的年輕公象，但象身上的細部裝飾却是想象的。象尊外表遍飾雲雷紋襯底的動物紋樣：象的鼻端做成鳳鳥形狀，上伏一虎；身上飾有饕餮、夔龍、虎以及龍頭蛇身的神物。紋飾做工細膩，至爲美觀。它是目前發現的唯一有明確出土地點的商代銅象尊，也是造型最爲生動、鑄造最爲精工的鳥獸尊之一。
現藏湖南省博物館。

商（公元前十六世紀至公元前十一世紀）

[青銅器]

商（公元前十六世紀至公元前十一世紀）

象尊
商
高17.5厘米。
象形器，象鼻上捲以爲流，象背開口，蓋飾龍紋，以小象爲鈕。象鼻飾鱗紋，象身飾龍紋和四瓣目紋，象腿飾獸面紋。
現藏美國華盛頓弗利爾美術館。

雌雙羊尊
商
高46厘米。
雙羊相背而立，羊背負起尊筒，上飾獸面紋。羊身飾鱗紋，腿飾龍紋。
現藏日本東京根津美術館。

雙羊尊

商

傳湖南長沙縣跳馬澗出土。

高45厘米。

器由後部相連的雙羊及羊背托負的筒狀器頸組成。羊的雙角向內盤曲，有鬚，每隻羊表現前足，雙羊四足構成尊的穩定的器足，羊腹下前後兩側有相對的外捲垂飾。羊腹中空，與背上高聳的器口相通。器頸上有寬沿，其下爲弦紋三道，再下爲鹿狀角獸面紋。羊身遍布鱗甲，另在四肩肘部各飾一捲曲的龍蛇紋。整個雙羊尊就如同前後兩個獸頭銜咬住兩隻羊背部的形態。這種左右對稱的鳥獸尊，莊嚴穩重，在商周鳥獸尊中是極罕見的造型。

現藏英國倫敦大英博物館。

[青銅器]

豕形尊
商
湖南湘潭縣船形山出土。
高40、長72厘米。
尊形同立姿的野猪，長嘴微翹，獠牙外露，小耳前竪，背脊鬃毛竪起，粗短尾。橢圓形器口開于背中部，上覆立鳥鈕的器蓋。器表紋飾以鱗甲紋爲主，輔之以雲雷紋地的夔龍紋。夔龍紋作回首長身捲尾狀，飾于四肢肩肘部。在豕尊頭部以粗獷的綫條構成獸面紋，獸面紋雙目與豕目合爲一體。尊前後肩肘各穿一圓管，以便穿索抬運，構思頗爲巧妙。
現藏湖南省博物館。

獸面紋高足罍
商
湖南岳陽市魴魚山出土。
高50、口徑26.2厘米。
器形爲侈口方唇，高直頸，窄折肩，斜直腹，高圈足，足上部有穿孔四個。在肩上等距設扉狀卧鳥四隻，其下對應的腹壁和圈中上施薄扉棱，其間肩下出凸起的附壁羊首。腹上部爲相間的旋渦紋與尊形紋，腹下部爲以雲雷紋爲地的首尾相連的魚紋，其間寬大腹壁中部飾雲雷紋襯底的大獸面紋。圈足中部以相對的竊曲紋爲主體，也亦雲雷紋襯底。紋飾中尊形紋罕見于中原商文化中，是具有地方特色的紋類。
現藏湖南省岳陽市文物管理處。

[青銅器]

獸面紋提梁壺
商
湖南石門縣出土。
高47.5、口徑11.8厘米。
壺屬長頸提梁壺類，平面呈橢圓形。傘形矮蓋，瓜棱形小鈕。壺頸粗直，頸部與肩腹部過渡自然，腹部外鼓，圈足斜侈，上有四鏤孔。肩部連接龍首提梁，提梁脊背、蓋面、器身四中皆起扉棱，其中腹側扉棱作三鳥形。頸上部飾弦紋兩道，頸下部和肩腹部各飾相同的雲雷紋地的牛角獸面紋，其中肩腹部的獸面紋兩側還有倒立的夔龍紋。圈足飾雲雷紋地的魚紋。壺鑄製精工，紋飾嚴謹，堪稱湖南商代銅器的精品。
現藏湖南省博物館。

商（公元前十六世紀至公元前十一世紀）

[青銅器]

商（公元前十六世紀至公元前十一世紀）

獸面紋瓿
商
湖南寧鄉縣寨子村出土。
高42.5、口徑23厘米。
蟠龍鈕，蓋、腹、圈足飾扉棱六道，肩飾三浮雕獸首。蓋、腹分別飾三組獸面紋，肩、圈足飾龍紋，均以雷紋襯地。
現藏湖南省博物館。

戈提梁壺
商
湖南寧鄉縣黃村出土。
高37.7厘米，口長15.3、寬13.2厘米。
自蓋至圈足飾扉棱四道。頸飾對耳，穿獸耳形提梁，提梁上飾龍紋。蓋兩側有檐角翹出，上飾蟬紋，蓋面與器肩部飾直條紋，蓋沿、頸、腹、圈足均飾各種造型的鳳鳥紋。蓋、器同銘"戈"字。
現藏湖南省博物館。

338

[青銅器]

虎抱人提梁壺
商
傳湖南出土。
高35.7厘米。
形狀爲一頭猛虎前足擁抱一人，人頭納于虎口中，後足蹲踞與短尾成穩定的三足。在虎的後頸部開器口，上覆立鹿形鈕的器蓋。器口兩側即虎肩部連獸首提梁。虎的造型突出大口利齒。圓眼立耳的虎頭，該部刻劃細微，體量占全器的三分之一以上。壺身遍布精美的紋飾，主題紋樣以雲雷紋襯底，以設扉棱的背脊爲中綫，左右對稱從上而下飾以四對形態各异的夔龍紋，同樣的紋樣也見于提梁表面，祇是在人腿上改用一對蛇紋。在壺底部，以陰綫作龍、魚紋，這是商周盤、鑒水器常用的裝飾手法。
現藏日本京都泉屋博古館。

商（公元前十六世紀至公元前十一世紀）

[青銅器]

天銘提梁壺
商
廣西武鳴縣勉嶺出土。
高40、壺蓋徑12.8－17厘米。
橢圓屋形蓋，菌狀鈕，蓋壁兩側伸出翹耳。短直徑，斜弧肩，鼓腹下垂，兩段式高圈足。在頸之前後出牛頭形鈕，內套寬扁的提梁。蓋面四中、頸側、腹部及圈足的四中各有扉棱一道。紋飾自上而下分別爲獸面（蓋面）、鳳鳥（蓋壁和器頸）、翹角大獸面（器腹）和夔龍（圈足），所有主紋皆以雲雷紋爲地，其中腹部獸面周圍還填以對虺紋等紋樣。蓋內鑄有族名文字"天"。
現藏廣西壯族自治區博物館。

獸面象紋鐃
商
湖南寧鄉縣師古寨山頂出土。
高70、鐃鐘銑間46.5厘米。
體作合瓦形，于部弧形下凹，甬部上面略粗，有旋，中空與體腔相通。主題紋樣爲粗凸棱構成的大獸面，棱綫上布滿雲雷紋。主紋上方鼓部中央飾獸面紋，兩旁飾立象紋各一，左右下三方飾六虎六魚，并間以圓渦紋。甬部有圓渦紋四，其旁同鼓中一樣，以雲雷紋襯地。師古寨共出大小相差無幾的獸面紋鐃鐘五件，此鏡是其中最精美的一件。
現藏湖南省博物館。

[青銅器]

商（公元前十六世紀至公元前十一世紀）

獸面紋虎足鼎
商
江西新干縣大洋洲鎮出土。
高38.2、口徑26.4厘米。
立耳上各臥一虎。口沿外側飾燕尾紋，腹飾六條勾曲形扉棱，間飾獸面紋。三足做扁圓形變體虎形，虎口侈張承腹，遍飾雲雷紋、羽紋和鱗紋。
現藏江西省博物館。

雙層底方鼎
商
江西新干縣大洋州鎮出土。
高27厘米，口長21.4、寬18厘米。
直耳微侈，階狀口沿，腹壁稍斜，雙層平底，兩層底間的一面腹壁辟有一扇小門。四足粗短，上部略粗。腹壁上部和周邊飾獸面紋和雲目紋，足上部飾獸面紋。該鼎底部設帶門的夾層，可以用來加溫保熱，這種設計在商周方鼎中非常獨特。
現藏江西省博物館。

341

[青 銅 器]

虎耳方鼎

商

江西新干縣大洋州鎮出土。

高97厘米,口長58、寬49厘米。

斜沿成臺階狀,厚方唇,沿面較寬,口沿上有直耳一對,耳上各臥一虎。腹部呈長方形,微內斂,下爲中空圓柱足,足底微鼓。這件方鼎通體紋飾極爲繁密,唇沿飾獨具地方特色的燕尾紋,四腹壁周邊則以單排聯珠紋爲大框,其中飾三層獸面紋:上層以高扉棱作鼻,由兩相向夔紋構成;中層以矮突棱作鼻,以雲雷紋構成雙身尾上捲的獸面紋,周邊又框以聯珠紋;下層僅以捲雲地紋作鼻,由兩相向夔紋構成。每層獸面紋的兩側還各有一夔紋,均爲臣字目,眼珠突出。足部則飾外捲角的浮雕式獸面紋,作鼻的扉棱尤爲突出。

現藏江西省博物館。

鹿耳四足甗

商

江西新干縣大洋洲鎮出土。
高105、口徑61.2厘米。
甗爲圓形四足連體型。甑部大于鬲部，甑體深削，鬲部則爲四柱足。甑部口沿平折，沿唇較寬，其上飾三角形雲紋。口沿上有立耳一對，飾獨具特色的燕尾形紋，兩耳上各有一圓雕狀的回首小鹿。甑頸部飾四組獸面紋，其間以突扉棱相隔，獸面紋帶的上下還飾以圈帶紋。鬲部通體則飾以高扉棱鼻的獸面紋四組。其中以角、眼、鼻部分最爲突出，其餘部分則與襯托紋樣分界不明顯，但整個畫面整齊雄勁。它是迄今所見最大、最精美的商代銅甗。
現藏江西省博物館。

[青銅器]

商（公元前十六世紀至公元前十一世紀）

獸面紋假腹盤
商
江西新干縣大洋洲鎮出土。
高17.4、口徑33.1厘米。
內腹甚淺，外腹壁較直，成假腹狀。獸首形耳，腹、圈足飾扉棱，間飾獸面紋，上下以聯珠紋爲界，腹內底飾一龜紋。
現藏江西省博物館。

假腹豆
商
江西新干縣大洋洲鎮出土。
高13.4、口徑15厘米。
折沿，厚方唇，豆盤較淺，假腹，粗圈足呈喇叭形。器物口部及頸部素面無紋，豆盤內壁飾一周斜角式雲紋，中心部位則是一圓渦紋。腹部飾三組內捲角獸面紋，鼻左右各飾一刀狀羽形紋，方形目。圈足上部也飾內捲角的獸面紋，角兩側各飾兩組羽形紋，并以突扉棱作鼻，圈足下部飾以兩道凸棱紋及等距的十字形鏤孔四個，圈足下部飾雲雷紋，間有三個等距突扉棱。整個器形給人以造型厚重質樸之感。
現藏江西省博物館。

344

[青銅器]

商（公元前十六世紀至公元前十一世紀）

四羊罍
商
江西新干縣大洋洲鎮出土。
高60.5、口徑40.8厘米。
短腹高圈足型，與瓿有幾分相似。折沿方唇，頸部高直，折肩較廣，肩上飾兩兩相對的高浮雕狀四羊首。斜直腹，中施四道窄扉棱，腹下圓轉接底，圈足高且外侈，上有四個等距的十字形鏤孔。器頸飾弦紋三道，肩飾四組獸面，腹以雲雷紋爲地，上施凸起的眼、鼻、眉、角的簡體獸面紋，圈足除兩道弦紋外，另有四組細綫組成的獸面。四羊罍體形高大，雄渾古樸，其形制除口部不往外侈這點，其餘與同時期南方地區的銅尊非常接近，具有一定的南方地方特色。
現藏江西省博物館。

獸面紋瓿
商
江蘇南京市江寧區出土。
高28.7、口徑24厘米。
肩、腹、圈足飾扉棱，肩飾三高浮雕羊角獸首，間飾鳥紋。腹飾獸面紋和鳥紋，圈足飾獸目雷紋，均以雲雷紋襯地。
現藏南京博物院。

[青銅器]

提梁方壺
商
江西新干縣大洋洲鎮出土。
高27.8、口徑7.3厘米。
圓敞口，帶蓋，蓋頂飾一蟠蛇鈕，頸部細長，斜肩，肩兩側置扁平提梁，提梁兩端鑄裝置的龍首，蓋部的蟠蛇鈕與其一側提梁相連。壺腹呈方形，四面中央各開一長方形孔，互相通連，水平斷面呈十字形，腹下爲圓形鏤空高圈足，略向外撇。壺體全身裝飾花紋，提梁上飾以排列整齊有序的燕尾紋，蓋、頸和肩、腹部則滿飾細綫條獸面紋，均以雲雷紋作地。但因主紋均爲細綫條，鑄紋細淺，故和底紋對比不突出，祇有作乳丁狀的眼部，作短窄突棱的鼻部較爲顯著。圈足部分素面無花紋，而裝飾以對稱的鏤孔。
現藏江西省博物館。

[青銅器]

獸面紋提梁壺
商

江西遂川縣泉江鎮洪門村出土。
高39厘米，口長18、寬15厘米。
帶蓋，蓋如橢圓形屋舍，頂施六瓣蘑菇狀鈕。直口斜頸，頸倒安半環形鈕與提梁相連，提梁兩端做成獸首。斜肩，垂腹，兩段式高圈足。在壺的四面中綫上，從上至下均設扉棱，其間器身表面布滿紋飾。鈕飾陰綫蟬紋，蓋頂和腹部為大獸面紋，蓋壁及圈足飾兩兩相對的夔龍紋，頸飾鳳鳥紋，提梁上面飾相對的龍紋，底面則飾以重環紋，所有凸起的動物紋樣都以雲雷紋襯底。蓋內銘文二字，器內銘文三字。
現藏江西省遂川縣文物保管所。

商（公元前十六世紀至公元前十一世紀）

[青銅器]

商（公元前十六世紀至公元前十一世紀）

牛首紋鎛

商

江西新干縣大洋洲鎮出土。
高33、銑間26.4厘米。
平面呈扁圓形，立面呈短梯形。舞上有拱形鈕。周壁向下斜侈，口沿平齊。舞部近銑處各有一立體小鳥，兩銑有相連的捲尾形扉棱。鐘體兩面周邊以燕尾紋帶爲框，其間中央偏下爲浮雕狀牛首形獸面主紋，牛角彎曲近圓形，其內爲燕尾紋圍繞的圓渦紋。牛首兩旁及上面，各有一對簡化夔龍紋，其間填以雲雷紋爲地。地紋綫條粗放且突起，與主題紋樣的某些綫條（如牛首紋的雙耳）幾不可分，是商文化殷墟早期銅器流行的紋飾作法。
現藏江西省博物館。

神像圖像鼓

商

高82厘米。
仿自橫置的皮木鼓，唯上緣較下緣略長，兩個圓形鼓面鑄出鼉皮鱗片的形狀，鼓身兩端還各鑄三列乳釘紋。鼓身之上有後部相連的翹尾立鳥，下部有外撇的四矮足，四足間的底部不封閉。鼓身紋飾獨特，除了上方在觚形紋帶組成的方框內飾有雲雷紋地的獸面紋外，兩面主題紋飾各爲一頭長雙角、兩手如翼的蹲坐神像。均作雙目圓睁、呲牙咧嘴之形，神像周圍還環列龍、鳥、魚等形象，并襯以雲雷地紋。從鼓的箍頭裝飾的燕尾紋看，當爲南方的作品。
現藏日本京都泉屋博古館。

[青銅器]

獸面紋鼓

商

湖北崇陽縣出土。

高75.5、鼓面直徑39.5厘米。

鼓身橫置,上有枕形冠,中有穿孔。長方圈足。鼓面圓形,緣飾仿皮鼓鼓釘的乳釘紋三周。通體飾細綫雲雷紋構成的獸面紋。

現藏湖北省博物館。

商（公元前十六世紀至公元前十一世紀）

[青銅器]

商（公元前十六世紀至公元前十一世紀）

獸面紋冑
商
江西新干縣大洋洲鎮出土。
高18.7，內徑長21、寬18.6厘米。
頂部有一插飾物用圓管。正面飾浮雕式獸面紋。
現藏江西省博物館。

雙尾臥虎
商
江西新干縣大洋洲鎮出土。
高25.5、長53.5厘米。
虎作半臥欲起狀，張口呲牙，尤其突出兩側獠牙，突目粗眉，兩耳聳立，粗頸，垂腹，脊背突出，後垂雙尾，背伏一短尾鳥，尖喙圓睛。虎背上還飾以陰綫雲雷紋，四肢上部也飾此紋，而四肢下部和雙尾則裝飾較具特色的燕尾狀紋。此銅虎造型巨大，長逾半米，形象生動，給人一種"靜中有動，動中有靜"的意蘊。
現藏江西省博物館。

[青銅器]

商（公元前十六世紀至公元前十一世紀）

雙面神像
商
江西新干縣大洋洲鎮出土。
高52厘米。
頭部中空，兩面相同。頭長一對向外折捲的長角，角上飾雲雷紋，雙角間的正中有圓管，估計原來插有表示神性的飾件。臉呈上部略寬的長方形，圓眼突睛，尖耳闊鼻，大嘴露齒，其下犬齒長且外捲，與人不同。頭下有方銎，原來應裝在一根木枋之上，供人前後瞻仰。推測這類神像可能都與太歲等戰神或刑神有關，是古人崇奉且敬畏的大神形像。
現藏江西省博物館。

351

[青銅器]

西周（公元前十一世紀至公元前七七一年）

獸面勾連雷紋鼎
西周
陝西西安市長安區新旺村出土。
高85、口徑63厘米。
立耳外飾龍紋，口沿下飾兩種不同的獸面紋。
腹飾勾連雷紋，柱足上部浮雕虎首。
現藏陝西西安市文物保護考古所。

[青銅器]

夔龍格乳紋鼎
西周
陝西岐山縣賀家村出土。
高20.5、口徑18厘米。
肩部飾雲雷紋地的行龍紋，間
飾扉棱。腹飾斜格乳釘紋。
現藏陝西歷史博物館。

獸面鳳紋鼎
西周
陝西岐山縣賀家村出土。
高55.5、口徑42厘米。
頸下飾雲雷紋地的獸面紋，間飾
龍鳳紋。三足上部浮雕獸面。
現藏陝西歷史博物館。

西周（公元前十一世紀至公元前七七一年）

[青銅器]

西周（公元前十一世紀至公元前七七一年）

獸面垂葉紋鼎
西周
陝西扶風縣劉家村出土。
高37.1、口徑30.1厘米。
耳飾弦紋，上腹飾六組帶扉棱的獸面紋，下腹飾十二組簡化夔龍紋組成的垂葉紋，足上部也飾帶扉獸面，所有紋飾都以雲雷紋爲地。
現藏陝西歷史博物館。

牛鼎
西周
高31厘米。
鼎口罩的弧頂蓋，蓋鈕和鼎耳兩端各飾一立體螺角獸首。腹飾扉棱六道，間飾雲雷紋地的獸面紋三組，柱足上部浮雕牛首。蓋、器對銘，均鑄象形"牛"字。這是罕見的花紋與銘文可以呼應的銅器。
現藏美國賓西法尼亞大學博物館。

[青銅器]

西周（公元前十一世紀至公元前七七一年）

堇鼎
西周
北京房山區琉璃河253號墓出土。
高62、口徑47厘米。
口下與足上均飾雲雷紋地獸面紋，以扉稜為額鼻。內壁鑄銘四行二十六字，記匽侯命堇赴宗周向太保奉獻食品事。
現藏首都博物館。

㝨鼎
西周
陝西眉縣楊家村出土。
高77、口徑56.5厘米。
耳厚足粗，造型穩重。耳外側飾龍紋一對，頸飾帶扉稜的獸面紋六組，蹄足上部浮雕獸面。內壁鑄銘文四行二十八字，記王姜賞㝨田地事。
現藏陝西歷史博物館。

355

[青銅器]

西周（公元前十一世紀至公元前七七一年）

獸面紋鼎
西周
遼寧喀喇沁左翼蒙古族自治縣北洞村出土。
高36.5、口徑30厘米。
口下飾一周帶短扉棱的獸面紋，下部飾垂葉紋，均以雷紋襯地。足上部飾帶短扉棱的獸面紋。
現藏遼寧省博物館。

塱鼎
西周
甘肅靈臺縣洞山出土。
高60、口徑45.7厘米。
口下飾帶扉棱獸面紋一周，雷紋襯地。三蹄足，上部飾獸面紋。內壁鑄銘文"塱"字。
現藏甘肅省博物館。

[青銅器]

平蓋獸面紋鼎
西周
陝西寶雞市紙坊頭1號墓出土。
高40.2、口徑32厘米。
蓋有門形立耳狀捉手，周邊鑄三扁體倒龍形鈕，蓋面飾獸面紋。頸飾帶扉棱的獸面紋。腹飾變體龍紋組成的垂葉紋，均以雷紋襯地。足上部浮雕獸面。
現藏陝西省寶雞市青銅器博物館。

西周（公元前十一世紀至公元前七七一年）

[青銅器]

西周（公元前十一世紀至公元前七七一年）

𠦪鼎
西周
傳陝西寶雞市出土。
高23、寬20厘米。
此鼎的造型和裝飾都很奇特。耳為附耳且緊接口部，扉棱僵直如鈎，高不盈尺的小鼎却滿布紋飾。口下飾夔龍紋，中腹飾直棱紋，下腹飾垂葉紋，足上部有獸面紋。內壁鑄"𠦪"字。現藏故宮博物院。

獸面紋鼎
西周
高41.4、寬33.7厘米。
立目鼓腹，足微彎曲。腹上部和足上部飾帶扉棱的獸面紋，下腹飾垂葉紋。現藏故宮博物院。

358

[青銅器]

帶鏊龍紋大鼎
西周
陝西淳化縣史家源村出土。
高122、口徑83厘米。
雙耳高大寬厚,腹部有三隻獸形鏊,其間的上部飾龍首獸面,龍的身軀在兩側蜿蜒展開,龍首下有一牛首。三足粗壯,上部為帶扉棱的獸首。
現藏陝西省淳化縣文物管理所。

西周(公元前十一世紀至公元前七七一年)

[青銅器]

西周（公元前十一世紀至公元前七七一年）

獸面紋鼎
西周
北京房山區琉璃河251號墓出土。
高36、口徑9.7厘米。
口下飾獸面紋六組，獸面中央有扉棱。腹飾垂葉形變體對鳥紋。柱足上部亦飾獸面紋。
現藏首都博物館。

外叔鼎
西周
陝西岐山縣童家村出土。
高89.5、口徑61.3厘米。
垂腹較深而三足較短，造型不夠和諧。耳飾對虎紋，口下飾間以扉棱的顧首夔龍紋。足上部浮雕獸面，內壁鑄銘六字，記外叔作器。
現藏陝西歷史博物館。

[青銅器]

大盂鼎
西周
陝西岐山縣禮村出土。
高102.1、口徑78.4厘米。
著名西周重器。口下飾以短扉棱爲中心的獸面紋，足上部飾獸面紋。均以雷紋襯地。內壁鑄銘文二百九十一字，記康王在宗周對盂冊命事。
現藏中國國家博物館。

西周（公元前十一世紀至公元前七七一年）

[青銅器]

西周（公元前十一世紀至公元前七七一年）

成周鼎
西周
山西曲沃縣曲村6195號墓出土。
高20.6、口徑17.6厘米。
立耳垂腹，三足短小。上腹有三道與三足相應的短扉棱，其間飾以雲雷紋地的帶扉棱的長身獸面紋。內壁鑄銘"成周"二字。
現藏北京大學賽克勒考古與藝術博物館。

北子舟鼎
西周
湖北江陵縣萬城出土。
高19.7厘米。
束頸，垂腹，三足短而纖細。頸飾竊曲紋一周。內壁鑄銘"北子舟"三字。
現藏湖北省博物館。

[青銅器]

西周（公元前十一世紀至公元前七七一年）

五祀衛鼎
西周
陝西岐山縣董家村西周窖藏出土。
高36.5、口徑34.3厘米。
腹底下垂，柱足纖細且粗細不一，口下紋飾爲雲雷紋地的竊曲紋。鼎內壁有二百零七字的長銘，記載了恭王五年裘衛與邦君厲交易土地事。
現藏陝西歷史博物館。

師湯父鼎
西周
傳陝西西安市長安區出土。
高28.1、口徑26厘米。
束頸，垂腹，蹄足。頸部有六個扉棱，扉棱兩側飾相對的長冠長尾鳥紋。腹飾長捲尾鳥紋。足上部飾獸面紋。內壁鑄銘五十四字，記周王賞賜師湯父事。
現藏臺北故宮博物院。

[青銅器]

西周（公元前十一世紀至公元前七七一年）

十五年趙曹鼎
西周
傳陝西出土。
高23.4、口徑22.9厘米。
頸飾顧首龍紋，三柱足內側作平面形。鑄銘五十七字，記恭王十五年賞賜趙曹事。
現藏上海博物館。

師眉鼎
西周
傳陝西鳳翔縣出土。
高23.2、口徑20厘米。
頸飾長尾鳥紋，間飾扉棱。內壁鑄銘五行二十八字，記師眉以"周客"身份受賞賜事。
現藏南京博物院。

大克鼎
西周
陝西扶風縣法門鎮任家村出土。
高93.1、口徑75.6厘米。
立耳外側飾龍紋。頸飾變形獸面紋，腹飾波曲紋，三足上部浮雕獸面，腹內壁鑄銘二百九十字，記周王對克冊命賞賜等事。
現藏上海博物館。

[青銅器]

西周（公元前十一世紀至公元前七七一年）

[青銅器]

西周（公元前十一世紀至公元前七七一年）

井姬鼎
西周
陝西寶雞市茹家莊2號墓出土。
高15.5、口徑13.5厘米。
子母口，附耳蓋飾三曲尺形托。蓋面與器頸均飾垂冠回首龍紋。器內鑄銘五行二十四字，記強伯爲井姬作器事。
現藏陝西省寶雞市青銅器博物館。

史頌鼎
西周
高37.3、口徑35.7厘米。
頸飾變形獸體紋，腹飾波曲紋，足上部浮雕獸面。內壁鑄銘六十二字，記史頌受周王命省視蘇國事。
現藏上海博物館。

[青銅器]

西周（公元前十一世紀至公元前七七一年）

小克鼎
西周
陝西扶風縣法門鎮任家村出土。
高35.4、寬33.6厘米。
立耳外側飾龍紋。頸飾變形獸面紋，間飾扉棱。腹飾波曲紋，足上部浮雕獸首。內壁鑄銘文八行七十二字，記周王命膳夫克去成周洛陽整肅成周八師事。
現藏故宮博物院。

虢文公子䜴鼎
西周
高28.9、口徑31.4厘米。
半球形腹，蹄足。頸飾竊曲紋，腹飾波曲紋。內壁鑄銘四行二十字，記虢文公子䜴作器。
現藏遼寧省旅順博物館。

[青銅器]

西周（公元前十一世紀至公元前七七一年）

𢽸叔鼎

西周
陝西藍田縣草坪鄉出土。
高50厘米。
蹄形足，頸飾單列式目紋，間飾扉稜，三足上部浮雕獸面。內壁鑄銘五行四十八字，記𢽸叔、信姬夫婦作器以祀文祖考。
現藏陝西省藍田縣文物管理所。

芮公鼎

西周
高31.3、口徑34厘米。
斂口，三空心蹄足，頸飾獸體捲曲紋，腹飾波曲紋。內壁鑄銘三行十一字，記芮公作器。
現藏日本東京出光美術館。

[青銅器]

西周（公元前十一世紀至公元前七七一年）

毛公鼎
西周
陝西岐山縣禮村出土。
高53.8、口徑47.9厘米。
立耳，半球形腹，蹄足，頸飾重環紋一周。內壁鑄銘四百九十九字，記周宣王册命毛公之事。此爲商周青銅器中銘文最長的一件。
現藏臺北故宮博物院。

虢宣公子白鼎
西周
高33、口徑32厘米。
半球形腹，蹄足，頸飾竊曲紋，腹飾鱗紋。內壁鑄銘五行二十七字，記虢宣公子白作器。
現藏北京市頤和園管理處。

[青銅器]

西周（公元前十一世紀至公元前七七一年）

大鼎
西周
高39.7、寬38.7厘米。
三蹄足，頸飾弦紋兩道。鼎內有銘文八行八十二字，記王對大的一次賞賜，年、月、月相、干支日四項俱全。
現藏故宮博物院。

頌鼎
西周
高38.4、寬30.3厘米。
鼎內壁鑄銘十四行一百五十二字，記王對頌的一次冊命的全過程。
現藏故宮博物院。

[青銅器]

西周（公元前十一世紀至公元前七七一年）

雲目紋溫鼎
西周
陝西扶風縣莊白村窖藏出土。
高16、口徑12.1厘米。
立耳，鼓腹，柱足。腹部飾兩層雲目紋。腹內上部為盤形容器，下部為爐竈。"竈"正面開竈門，周圍花紋鏤空以保證空氣流通。
現藏陝西省周原博物館。

戜鼎
西周
陝西扶風縣莊白村出土。
高22、口徑22.3厘米。
垂腹低柱足，足下部內側各有一突出的支釘，可以承托爐箅一類加溫設施。頸飾顧首龍紋，雷紋襯地。內壁鑄銘五字，記戜作此鼎。
現藏陝西省扶風縣博物館。

[青銅器]

㷭父丁鼎
西周
高20.8、口徑16.4厘米。
立耳,淺腹,扁足。雙耳外側飾龍紋,腹飾蟬紋一周,間飾扉棱,扁足作立鳥形,腹銘"㷭父丁"三字。
現藏上海博物館。

子申父己鼎
西周
河南伊川縣出土。
高20.2、口徑16.5厘米。
淺腹,腹飾蟬紋,上下界以斜角目紋。鳥形扁足,與腹部扉棱相連。內壁鑄"子申父己"四字。
現藏河南省洛陽博物館。

[青銅器]

西周（公元前十一世紀至公元前七七一年）

父甲鼎
西周
高19.1、口徑16.1厘米。
立耳，分襠，高柱足。腹部飾三組兩側輔以倒夔紋的獸面紋，獸面嘴銜柱足，雲雷紋襯地。器內壁鑄銘五字。
現藏北京大學賽克勒考古與藝術博物館。

匽侯旨鼎
西周
高20.4、口徑16.9厘米。
淺分襠。腹飾獸面紋三組，雷紋襯地。內壁鑄銘文四行二十一字，記匽侯旨赴宗周初次拜見周王事。
現藏日本京都泉屋博古館。

373

[青銅器]

西周（公元前十一世紀至公元前七七一年）

史游父鼎
西周
高25、寬19.5厘米。
分襠實足鼎，頸飾雲雷紋組成的獸面紋，兩面中部飾浮雕牛首。內壁鑄銘三行九字，記史游父作器事，銘文後附八卦符號。
現藏故宮博物院。

歸妣進方鼎
西周
陝西西安市長安區花園村出土。
高22.8厘米，口長18.3、寬14.5厘米。
器四隅及四壁中部飾扉棱。頸飾蛇紋，腹周飾三排乳釘紋，中飾勾連紋。柱足上部浮雕獸面。內壁于亞字框內鑄銘三十字，記周王賞賜歸妣進事。
現藏陝西歷史博物館。

圉方鼎
西周
遼寧喀喇沁左翼蒙古族自治縣北洞村2號窖藏出土。
高52厘米，口長40.6、寬30.6厘米。
腹四隅飾扉棱。頸下飾獸面紋，雷紋襯地。腹壁兩側與下端飾乳釘紋。柱足上部亦飾獸面紋。內壁鑄銘三十四字，內底鑄銘四字。
現藏遼寧省博物館。

[青銅器]

西周（公元前十一世紀至公元前七七一年）

康侯豐方鼎
西周
高27.8、口徑20.4厘米。
腹四隅及四面正中起山字形扉棱，腹飾獸面紋，雙列式目紋。柱足飾雲雷紋和三角紋，內壁一側鑄銘二行六字"康侯豐作寶尊"。"豐"即武王同母弟康叔封，爲衛國始封之君。
現藏臺北故宮博物院。

百乳龍紋方鼎
西周
山東滕州市莊里西村出土。
高17.6厘米，口長14.9、寬11.2厘米。
腹四隅及四壁頸部正中起扉棱，頸下飾龍紋，腹左右兩側與下部飾乳釘紋。柱足上部飾獸面紋。內壁鑄銘"作尊彝"三字。
現藏山東省滕州市博物館。

[青銅器]

德方鼎
西周
高24.4厘米,口長18、寬14.2厘米。
淺腹平底,高柱足,腹飾獸面紋、龍紋,以雷紋襯地,柱足上端飾牛首紋。腹內壁鑄銘文二十四字,記成王在成周洛邑祀武王事。
現藏上海博物館。

西周(公元前十一世紀至公元前七七一年)

[青銅器]

西周（公元前十一世紀至公元前七七一年）

厚趠方鼎
西周
高21.3厘米，口長17.5、寬13.3厘米。
腹四隅飾扉棱。腹飾獸面紋，柱足上端亦飾獸面紋。腹內壁鑄銘三十三字，記厚趠受濼公饋贈事。
現藏上海博物館。

鳳紋方鼎
西周
陝西寶雞市戴家灣村出土。
高22.8、口長17.5厘米。
腹四隅及四壁中央飾扉棱，頸下飾垂尾長冠鳳紋一周，腹飾垂尾花冠鳳紋。
現藏陝西省寶雞市青銅器博物館。

[青銅器]

西周（公元前十一世紀至公元前七七一年）

屮鼎
西周
甘肅靈臺縣白草坡1號墓出土。
高24厘米，口長18、寬14厘米。
器四隅起扉棱，腹飾淺浮雕牛首紋，雷紋襯地。柱足上部飾獸面紋。內壁鑄銘"屮作尊"三字。
現藏甘肅省博物館。

成王方鼎
西周
高28.5、口長18.1厘米。
器四隅及四壁中部起山字形扉棱，立耳飾圓雕臥龍一對，頸下飾鳳鳥紋，腹飾乳釘紋框，中填直條紋。足上部飾高浮雕獸面。內壁鑄"成王尊"三字，當爲祀成王器。
現藏美國堪薩斯納爾遜-艾金斯美術館。

379

[青銅器]

西周（公元前十一世紀至公元前七七一年）

太保方鼎
西周
高57.6厘米，口長35.8、寬23厘米。
器四隅飾"T"字形扉棱，立耳飾圓雕伏龍一對，外飾鱗紋。腹飾獸面紋和三角紋。足細高，上部浮雕獸面紋，中部有輪狀飾。內壁銘"太保鑄"三字。
現藏天津博物館。

㝬方鼎
西周
高26厘米，口長18.7、寬15.2厘米。
器四隅及四壁中部起扉棱。耳飾圓雕伏龍一對。腹飾獸面紋，雷紋襯地。柱足上部飾浮雕獸面。內壁鑄銘三十二字，記楷仲于宗周賜㝬遂毛、馬匹事。
現藏美國舊金山亞洲藝術博物館。

[青銅器]

西周（公元前十一世紀至公元前七七一年）

厤方鼎
西周
高17.5厘米，口長13.9、寬10.4厘米。
腹四邊飾象鼻龍紋和目雷紋，四隅飾扉棱，柱足上端飾獸面紋。腹內壁鑄銘文十九字，記厤作此鼎享孝祖先。
現藏上海博物館。

滕侯方鼎
西周
山東滕州市莊里西村出土。
高27厘米，口長16、寬11.5厘米。
子母口，蓋上置四捲龍狀鈕。蓋緣、器口對飾顧首鳥紋，腹飾獸面紋。柱足飾雲雷紋和圓尾蟬紋。蓋內與器底對銘"滕侯作寶尊彝"六字。
現藏山東省滕州市博物館。

[青銅器]

西周（公元前十一世紀至公元前七七一年）

戒方鼎
西周
陝西扶風縣莊白村出土。
高27.5厘米，口長26、寬17厘米。
器作圓角長方體，鼎蓋兩端有長方形孔，與鼎立耳相套合，蓋中有提鈕，四角有曲尺形足，可却置。頸飾花冠龍紋一周。內壁與蓋内對銘六十五字，記戒伐淮戎得勝回駐堂師，周王后妃俎姜遣內史賞賜事。
現藏陝西省扶鳳縣博物館。

伯䂮方鼎
西周
陝西寶雞市茹家莊1號墓乙室出土。
高14.5厘米，口長14.8、寬10.5厘米。
頸飾鳳紋、渦紋相間紋帶一周，下飾弦紋。內底鑄銘二行六字"伯䂮作旅尊鼎"。
現藏陝西省寶雞市青銅器博物館。

[青銅器]

西周（公元前十一世紀至公元前七七一年）

刖人守門方鼎
西周
陝西扶風縣莊白村西周窖藏出土。
高17.7厘米，口長11.9、寬9.2厘米。
分上中下三層，上層方鼎附耳，四隅飾
圓雕顧龍，頸飾變形獸面紋。中層房形
方座，正面開門，以刖刑奴隸持門栓，
門可啟閉，兩側開窗，周飾斜角雷紋，
背面飾鏤空獸目交連紋，內有爐盤，可
置炭火。下接四獸首勾喙怪獸形足。
現藏陝西省周原博物館。

塑方鼎
西周
傳陝西鳳翔縣出土。
高26.8厘米，口長21.1、寬16厘米。
四壁高浮雕相背的長冠垂尾大鳳鳥，相鄰
的鳳鳥頭部重合于四隅，勾喙突出器外。
四足亦爲立體鳳鳥形，通體以雷紋襯地。
器內壁、內底共銘三十五字，記周公東征
勝利後歸祭周廟，賞塑貝百朋事。
現藏美國舊金山亞洲藝術博物館。

[青銅器]

西周（公元前十一世紀至公元前七七一年）

象鼻形足方鼎
西周
山東濟陽縣劉臺子村出土。
高20.4厘米，口長14.9、寬11.6厘米。
頸下四隅及四壁中部起扉棱，間飾鳥紋。鼎腹四隅作象首狀，大耳闊口，額有火紋。象鼻下垂捲起作鼎足。內壁鑄"夆"字銘文。
現藏山東省文物考古研究所。

伯方鼎
西周
陝西寶雞市竹園溝4號墓出土。
高20.3厘米，口長15、寬12厘米。
器四隅及四壁中部起扉棱，腹飾獸面紋、龍紋，雷紋襯地。立鳥形扁足。內壁鑄銘"伯作彝"三字。
現藏陝西省寶雞市青銅器博物館。

[青銅器]

西周（公元前十一世紀至公元前七七一年）

四鳥扁足方鼎
西周
陝西扶風縣齊家村出土。
高12.8厘米，口長11.1、寬7.3厘米。
口緣外折，內又出一緣，上可置扉門式平蓋，蓋殘。口緣四角飾圓雕小鳥，可轉動。腹飾鱗紋，四龍紋扁足。
現藏陝西省扶風縣博物館。

瀕鬲
西周
高19、口徑14.1厘米。
立耳高領，鼓腹分襠，柱足。頸飾雲雷簡化獸面紋，袋腹飾牛角大獸面紋，兩側有倒龍紋。腹內壁鑄銘文十二字，記瀕作此器。
現藏上海博物館。

385

[青銅器]

伯矩鬲

西周

北京房山區琉璃河251號墓出土。
高30.4、口徑22.8厘米。
立耳高頸聯襠式。口罩平蓋,蓋面和蓋鈕由相背的兩個牛頭組成。頸在六隻短扉間各飾一夔龍紋,器腹各飾一牛角大獸面紋。所有紋飾皆凸起于素地之上,牛角更高高翹起。器身內壁和蓋內鑄相同銘文十五字,記匽侯賜伯矩貝事。
現藏首都博物館。

[青銅器]

西周（公元前十一世紀至公元前七七一年）

魯侯熙鬲
西周
口徑14.5厘米。
小立耳，矮頸，鼓腹，聯襠，柱足細高。除柱足外，器表被三個以雲雷紋爲地的捲角大獸面占滿。內壁一側鑄銘三行十三字，記魯侯熙作此器以享亡父文考魯公。
現藏美國波士頓美術館。

師趛鬲
西周
高50.8、寬54.6厘米。
附耳，束頸，鼓腹，蹄足，襠介于分聯之間，襠脊各有一道扉棱。附耳外飾重環紋。頸飾雙首斜角夔龍紋，腹飾大夔龍紋組成的獸面紋，均以雲雷紋襯地。腹內壁鑄銘五行二十九字，記師趛爲文考聖公、文母聖姬作器事。
現藏故宮博物院。

387

[青銅器]

西周（公元前十一世紀至公元前七七一年）

公姞鬲
西周
高31、口徑27厘米。
立耳束頸，鼓腹蹄足，聯襠近平。腹飾雲雷紋地的獸面紋三組。內壁鑄銘三十八字，記天君賜公姞魚三百條事。
現藏美國舊金山亞洲藝術博物館。

繩紋鬲
西周
河南洛陽市北窯機瓦廠出土。
高11、口徑13.6厘米。
捲沿鼓腹，聯襠尖足，頸以下器以襠脊和襠縫爲界飾斜繩紋。
現藏河南省洛陽博物館。

[青銅器]

西周（公元前十一世紀至公元前七七一年）

伯邦父鬲
西周
陝西扶風縣齊家村窖藏出土。
高12、口徑18.5厘米。
寬沿束頸，鼓腹柱足，聯襠近平。襠脊有月牙形扉棱，腹飾變形獸面紋。口沿鑄銘文六字，記伯邦父作鬲。
現藏陝西歷史博物館。

衛夫人鬲
西周
高10.6、口徑16.3厘米。
折沿寬平，平聯襠，蹄形足。腹飾變體獸面紋，飾誇張的扉棱三道。口沿鑄銘十五字，記爲衛夫人文君叔姜做器事。
現藏南京博物院。

389

[青銅器]

西周（公元前十一世紀至公元前七七一年）

呂王鬲
西周
高12.5、口徑17.9厘米。
折沿束頸，鼓腹蹄足，聯襠近平。襠脊有月牙形扉棱，其間各有二大鳥紋，鳥統作首尾相接的順列，非常少見。口部内側鑄銘一周十三字，記呂王作器事。
現藏上海博物館。

魯宰駟父鬲
西周
山東鄒城市棲駕村出土。
高11.2、口徑16.2厘米。
平折沿，束頸，鼓腹，蹄足，聯襠近平。襠脊有扉棱，器表飾捲曲的龍紋。口部内側鑄銘一周十五字。記爲魯宰駟父嫁女之媵器。
現藏山東省鄒城市博物館。

[青銅器]

西周（公元前十一世紀至公元前七七一年）

郏伯鬲
西周
高11.3、口徑15厘米。
斜頸聳肩，聯襠尖足，肩飾斜角雲紋，口沿鑄銘十五字，記為郏伯所作之"塍鬲"。
現藏中國國家博物館。

庚父己甗
西周
陝西扶風縣楊家堡村出土。
高38.6、口徑22.7厘米。
索狀立耳，甑與鬲連體，連接處置十字形氣孔的桃形箅。甑飾簡化細綫的獸面紋及龍鳳紋，鬲飾牛首獸面紋。甑內壁鑄銘"庚父己"三字。
現藏陝西省扶風縣博物館。

391

[青銅器]

西周（公元前十一世紀至公元前七七一年）

夨母癸甗
西周
高50.2、口徑31.3厘米。
繩索狀立耳，甑與鬲聯接處有箅，甑部上飾變形獸面紋，下飾蕉葉紋，鬲袋腹飾牛首紋。甑内壁鑄銘"夨母癸"三字。
現藏上海博物館。

圉甗
西周
北京房山區琉璃河253號墓出土。
高41、口徑25.5厘米。
繩索形立耳，甑與鬲聯接處置桃形箅。頸飾細綫的簡化獸面紋，鬲袋腹飾牛首獸面紋。甑内壁鑄銘三行十四字，記王賜圉貝事。
現藏首都博物館。

[青銅器]

西周（公元前十一世紀至公元前七七一年）

應監甗
西周
江西餘干縣黃金埠鎮出土。
高34.5、口徑22.5厘米。
索形立耳，甑、鬲連體，甑與鬲聯接處有半環形箅，上有五個十字形鏤孔及助提小環。甑部飾相間的圓渦紋及四瓣目紋。鬲袋腹部飾高浮雕獸面紋。甑內壁鑄銘文"應監作寶尊彝"六字。
現藏江西省博物館。

獸面紋甗
西周
高41.2、口徑26.5厘米。
甑、鬲連體，甑、鬲之間設桃形箅，箅上有十字形鏤孔。甑頸部飾一周獸面紋，鬲袋部飾高浮雕牛頭紋三組。甑內口沿鑄銘二行六字。
現藏北京市保利藝術博物館。

393

[青銅器]

西周（公元前十一世紀至公元前七七一年）

孚公鬲
西周
高43.5厘米，寬31.3厘米。
甑、鬲連體，口立索狀耳，下有蹄形足。甑部飾回首垂冠的斜角夔龍紋，袋足的獸面紋已簡化成目。銘文二行九字，記孚公杖作器事。
現藏故宮博物院。

師趛方甗
西周
河南洛陽市馬坡村出土。
高32.3厘米，口長23、寬19.5厘米。
甑、鬲分體套接，甑為橢方形，兩側附鋬。鬲為聯襠四足，兩側附耳。甗體紋在甑部施二弦紋。甑內壁鑄銘六字，記師趛作器事。
現藏河南省洛陽博物館。

394

[青銅器]

波曲紋方甗
西周
河南三門峽市虢國墓地2012號墓出土。
高33厘米，甑口長24、寬18.5厘米。
甑、鬲連體。甑為斜直腹附耳，底部有一活動箅，上有六細條形箅孔。鬲口襠部近平，四蹄形足。甑部飾竊曲紋和波曲紋。
現藏河南省文物考古研究所。

堇臨簋
西周
高16.7、寬33.5厘米。
雙耳上部浮雕獸首，下部為浮雕翼鳥，耳下垂珥。頸與圈足飾渦紋與變形龍紋相間紋帶，頸中部浮雕獸耳，腹部浮雕大獸面紋。內底鑄銘八字，記堇臨作簋事。
現藏故宮博物院。

西周（公元前十一世紀至公元前七七一年）

[青銅器]

西周（公元前十一世紀至公元前七七一年）

團龍紋簋
西周
高15.8、寬27.3厘米。
獸首形雙耳，下有垂珥。腹、圈足飾扉棱，腹飾浮雕團龍紋，圈足飾蛇紋，均以雲雷紋襯地。
現藏故宮博物院。

百乳雷紋簋
西周
山西曲沃縣曲村6081號墓出土。
高13.6、口徑18.2厘米。
獸首形雙耳，鉤形垂珥。頸飾目雷紋，腹飾乳釘雷紋，以聯珠紋爲欄。圈足飾羽背虎首紋。
現藏山西省考古研究所。

[青銅器]

西周（公元前十一世紀至公元前七七一年）

康侯簋
西周
河南浚縣辛村衛侯墓地出土。
高24、口徑41厘米。
獸首形雙耳，垂珥較長。頸與圈足均飾渦紋和四瓣目紋相間的紋帶，頸兩面中央浮雕獸首。腹飾直條紋。器底鑄銘四行二十四字，記周王伐商，命康侯建國于衛地事。
現藏英國倫敦大英博物館。

乳釘四耳簋
西周
高23.5厘米。
四耳高聳，耳上各飾六浮雕牛首，耳側面飾鳥紋和龍紋。腹飾直條紋，上、下飾高乳釘紋帶，間飾扉棱。圈足飾龍紋。
現藏美國華盛頓弗利爾美術館。

[青銅器]

西周（公元前十一世紀至公元前七七一年）

牛首飾四耳簋
西周
陝西寶雞市紙坊頭1號墓出土。
高23.8、口徑26.8厘米。
四耳與簋身有榫頭套合，每耳連同垂珥上飾大小不等牛頭六個。頸與下腹飾乳釘紋，腹中部飾直條紋。圈足飾龍紋。
現藏陝西省寶雞市青銅器博物館。

邢侯簋
西周
高18.5厘米。
四獸首形耳，垂珥鈎狀，腹飾象紋，圈足飾變體龍紋。
器底鑄銘文八行六十八字，記周王誥命榮伯和內史讓邢伯參與王政，并賞賜奴隸事。
現藏英國倫敦大英博物館。

398

[青銅器]

西周（公元前十一世紀至公元前七七一年）

榮簋
西周
高14.8、寬28.8厘米。
浮雕獸首形四耳，下有垂耳。淺腹外壁飾渦紋和夔紋，圈足飾獸面紋。內底鑄銘五行三十字，記王賞賜榮玉勺與貝事。
現藏故宮博物院。

莒小子簋
西周
高14.4、口徑22.2厘米。
獸首耳，方形垂耳。器頸、圈足均飾變形獸面紋。器底鑄銘四行二十五字，記莒小子作器事。
現藏上海博物館。

399

[青銅器]

西周（公元前十一世紀至公元前七七一年）

伯作簋
西周
高14.9、寬29.2厘米。
浮雕鳳鳥形耳，下有垂珥。頸、腹均飾鳳鳥紋，頸兩面中部浮雕獸首，圈足飾斜角目紋。內底鑄銘"伯作簋"三字。
現藏故宮博物院。

鮮簋
西周
高14、寬29.2厘米。
獸首形對耳，器飾扉棱，頸中部兩面浮雕獸面，腹飾龍紋，圈足飾目雷紋，均以雷紋襯地。內底鑄銘文五行，記周王對鮮賞賜事。
現藏英國倫敦埃斯肯納齊行。

400

[青銅器]

西周（公元前十一世紀至公元前七七一年）

彧簋
西周
陝西扶風縣莊白村西周墓出土。
高21、口徑22厘米。
圓雕豎冠鳳鳥形耳，蓋面及器腹飾垂尾式花冠大鳳鳥，通體以雷紋襯地。蓋、器對銘一百三十四字，記伯彧率師抗擊淮戎事。
現藏陝西省扶風縣博物館。

陳侯簋
西周
高12.4、口徑20厘米。
獸首形耳，方形垂珥，頸飾渦紋，兩面中部浮雕獸首，腹飾波曲紋。器底鑄銘三行十七字，記陳侯爲其姬姓夫人作器事。
現藏上海博物館。

401

[青銅器]

西周（公元前十一世紀至公元前七七一年）

鳥紋簋
西周
高20.3厘米。
獸首形雙耳，鉤狀垂珥。圈足下接三獸腿形高足，頸飾花冠回首鳥紋，以雷紋襯地。正中間附飾浮雕虎首。足上部浮雕獸面。
現藏美國舊金山亞洲藝術博物館。

攸簋
西周
北京房山區琉璃河53號墓出土。
高28.5、口徑20.3厘米。
象首形雙耳，鼻端捲成垂珥。圈足下接三立虎形足。蓋面及器身均飾長尾鳳紋，皆以雷紋襯地。蓋內與器內底同銘三行十七字，記匽侯賜攸貝三朋事。
現藏首都博物館。

[青銅器]

西周（公元前十一世紀至公元前七七一年）

齊仲簋
西周
山東招遠市東曲城村出土。
高19.9厘米。
兩獸首形耳，鉤形垂珥。頸飾鳥紋一周，兩面正中飾浮雕獸首。矮圈足附三蹄形足。器底鑄銘二行五字"齊仲作寶簋"。
現藏山東省烟臺市博物館。

回首龍紋簋
西周
山西曲沃縣曲村6130號墓出土。
高17.8、口徑18.4厘米。
獸首形雙耳，方形垂珥。頸飾回首式捲尾龍紋，兩面正中浮雕獸首。矮圈足下承三獸蹄形足。底外壁有方格形鑄造痕。器內底鑄銘"作登尊簋"四字。
現藏北京大學賽克勒考古與藝術博物館。

[青銅器]

西周（公元前十一世紀至公元前七七一年）

敔簋
西周
河南平頂山市滍陽嶺應國墓地95號墓出土。
高26、口徑22厘米。
立角獸首形對耳，鈎形垂珥，圈足下接三獸面形足。蓋面、器腹通飾波曲紋。蓋面與器底同銘五行二十七字，記為"公作敔尊簋"。
現藏河南省文物考古研究所。

伯簋
西周
北京房山區琉璃河209號墓出土。
高28.2、口徑19.8厘米。
蓋面隆起，上有圓形捉手和四條扉棱，器侈口，鼓腹，圈足。鳥形雙耳，象首形垂珥捲鼻著地成足，另二足亦作捲鼻象首狀。蓋、腹飾獸面紋，間飾扉棱，圈足飾雷紋、羽紋。蓋內與器內底同銘"伯作乙公尊簋"。
現藏首都博物館。

404

[青銅器]

西周（公元前十一世紀至公元前七七一年）

伯簋
西周
山西曲沃縣曲村723號墓出土。
高25、口徑19.1厘米。
獸首形四耳，垂珥延伸成外捲象鼻形足。蓋面、器腹均飾由細綫條組成的簡體獸面紋，頸飾鳥紋，圈足飾目雷紋。蓋內與器底同銘"伯作簋"三字。
現藏北京大學賽克勒考古與藝術博物館。

班簋
西周
高22.5、口徑25.7厘米。
獸首形四耳，鉤形珥延伸成內捲象鼻形四足。頸飾渦紋，腹飾獸面紋。內底鑄銘一百九十八字，記周王命毛公征伐東國，毛公子班隨父出征有功而受賞事。
現藏首都博物館。

[青銅器]

西周（公元前十一世紀至公元前七七一年）

乍伯簋
西周
河南平頂山市薛莊鄉應國墓地出土。
高16.8厘米。
獸首形雙耳，下有垂珥。頸飾夔龍紋，兩面中部浮雕獸首，腹飾獸面紋，圈足飾斜角目雷紋，均以雷紋襯地。圈足下又接一外撇高圈足。內底鑄銘八行七十餘字，記乍伯得周王賞賜作器紀念先祖周公事。
現藏河南省文物考古研究所。

渦龍紋高圈足簋
西周
陝西寶雞市紙坊頭1號墓出土。
高22.8、口徑20.3厘米。
獸首形耳，長方形碩長垂珥。頸飾渦紋和龍紋，兩面中部浮雕獸首。腹飾瓦紋。高圈足飾巨型獸面紋，圈足內懸一銅鈴。
現藏陝西省寶雞市青銅器博物館。

[青銅器]

西周（公元前十一世紀至公元前七七一年）

六年琱生簋
西周
高22.2厘米。
鳥獸形雙耳，垂珥殘損。兩面中部飾扉棱，通體飾寬帶變體獸紋。器底鑄銘十一行一百零五字。記琱生請求減免田賦并得允準事。現藏中國國家博物館。

獸面紋簋
西周
高21、寬23.5厘米。
對飾獸首形雙耳，高圈足，體飾扉棱。頸飾龍紋，腹、圈足飾獸面紋，通體以雷紋襯地。現藏英國。

407

[青銅器]

西周（公元前十一世紀至公元前七七一年）

牛簋
西周
高20.3厘米。
蓋、器合爲球形，獸首形耳，下垂方珥。
蓋沿、頸部、圈足均飾鳳鳥紋，口沿間飾浮雕牛首。蓋面及器腹飾直條紋。
現藏美國舊金山亞洲藝術博物館。

應國再簋
西周
河南平頂山市滍陽嶺應國墓地出土。
高22.5、口徑18厘米。
獸首形對耳，方形垂珥，圈足下接四獸首形足，蓋面、器頸均飾顧首鳥紋一周，器頸兩面中部浮雕獸首，圈足飾目雷紋。蓋、器對銘六行五十七字，記周王賞賜再事。
現藏北京市保利藝術博物館。

408

[青銅器]

西周（公元前十一世紀至公元前七七一年）

虎叔簋
西周
高19.6、口長18厘米。
獸首形雙耳，圈足附三個獸首小足。器口緣和蓋面飾竊曲紋，器身飾瓦棱紋。圈足飾斜角雲紋。蓋器同銘三行十五字。
現藏北京市保利藝術博物館。

元年師旋簋
西周
陝西西安市長安區張家坡窖藏出土。
高25.6、口徑23.8厘米。
虎首形對耳，圈足下接三象鼻形足。蓋沿、器頸飾變形獸面紋，餘飾瓦紋。蓋內與內底對銘九十九字，記周王冊命師旋任大佐一職事。
現藏陝西歷史博物館。

[青銅器]

西周（公元前十一世紀至公元前七七一年）

師酉簋
西周
高22.9、寬32.8厘米。
螺角獸首形耳，圈足下接三獸首形足。蓋沿，器頸、圈足飾鱗紋。餘飾瓦紋。蓋、器同銘十一行一百零六字，記王對師酉的一次冊命事。
現藏故宮博物院。

仲再父簋
西周
河南南陽市出土。
高24、口徑21.5厘米。
獸首形耳，蓋腹與器腹飾瓦紋。蓋沿與頸飾竊曲紋，圈足飾鱗紋，間飾浮雕獸首。蓋內與器底同銘四行四十四字，記仲再父爲其皇祖考旣（夷）王監伯作器事。
現藏河南南陽市博物館。

[青銅器]

西周（公元前十一世紀至公元前七七一年）

師寰簋
西周
高27、口徑22.5厘米。
獸首形耳，方形垂珥，圈足下接三獸首足。蓋沿與頸飾竊曲紋，蓋面、器腹飾瓦紋，圈足飾鱗紋。蓋器對銘一百一十七字，記師寰奉周宣王命征伐淮夷事。
現藏上海博物館。

魯伯大父簋
西周
山東濟南市歷城區北草溝村出土。
高25.4、口徑26厘米。
獸首形雙耳，圈足下接三獸首形足。蓋沿、器頸飾竊曲紋，圈足飾鱗紋，餘皆飾瓦紋。器底鑄銘三行十八字，記其為魯伯大父嫁女所作媵器。
現藏山東省博物館。

411

[青銅器]

西周（公元前十一世紀至公元前七七一年）

頌簋
西周
高22、寬44.7厘米。
獸首形對耳，圈足下接三捲鼻獸耳小足。頸前後飾扉棱和對稱的變形獸面紋，其兩側飾竊曲紋，圈足飾鱗紋。腹飾瓦紋。內底鑄銘十五行一百五十字，記王對頌的一次冊命。
現藏故宮博物院。

大師虘簋
西周
傳陝西西安市出土。
高18.7、口徑21.4厘米。
獸頭形雙耳。通飾直條紋。蓋、器同銘，記周王在師量宮賞賜大師虘事。
現藏上海博物館。

[青銅器]

西周（公元前十一世紀至公元前七七一年）

應吏簋
西周
河南平頂山市滍陽嶺應國墓地230號墓出土。
高17.1、口徑14厘米。
器身斂口，口緣一對獸首銜環耳。蓋緣與口緣飾變體夔紋，細雷紋襯地。圈足飾弦紋和二周雲雷紋。蓋與器內同銘單行五字。
現藏河南省文物考古研究所。

紀侯簋
西周
高19.4、口徑17.7厘米。
子母口，獸首銜環耳。蓋沿、器頸飾回首龍紋，腹飾瓦紋。蓋、器同銘三行十三字，記紀侯爲其女姜縈作器事。
現藏上海博物館。

413

[青銅器]

西周（公元前十一世紀至公元前七七一年）

五年師旋簋
西周
陝西西安市長安區張家坡窖藏出土。
高23、口徑18.7厘米。
子母口，龍首銜環耳，圈足下接三獸面象鼻形扁足，蓋沿與器頸飾鳳鳥紋，餘飾直條紋。蓋器同銘五十九字，記周王命師旋赴齊地追敵并賜兵器事。
現藏陝西歷史博物館。

師道簋
西周
內蒙古寧城縣小黑石溝遺址出土。
高23.4、口徑19.6厘米。
獸首銜環雙耳（環佚），圈足下有三個獸面象鼻形扁足。器腹飾直條溝紋，器、蓋口沿部飾變體獸面紋。器底有銘十行九十四字。
現藏內蒙古自治區寧城縣博物館。

[青銅器]

西周（公元前十一世紀至公元前七七一年）

太師虘簋
西周
傳陝西西安市出土。
高20.7、寬30.2厘米。
獸首形鋬，蓋、腹飾直條紋。蓋內與器底對銘七行七十字，記周王對太師虘的一次賞賜事，年、月、月相、干支日四項俱全。
現藏故宮博物院。

大簋
西周
高14.8、寬22.2厘米。
獸首銜環耳，環已失。圈足下接三獸首形矮足。頸飾竊曲紋。內底鑄銘四十字，記王對大的一次嘉獎。
現藏故宮博物院。

[青銅器]

西周（公元前十一世紀至公元前七七一年）

鄧公簋
西周
河南平頂山市滍陽嶺應國墓地6號墓出土。
高20、口徑20厘米。
器身斂口、口緣一對龍首銜環耳，圈足下附三支足。蓋緣與口緣飾有目竊曲紋，蓋面與器腹飾瓦壠紋，圈足飾斜角雲紋，支足根部飾獸面紋。蓋內與器底同銘三行十二字。
現藏河南省文物考古研究所。

散伯簋
西周
傳陝西鳳翔縣出土。
高23.1、口徑21.1厘米。
獸首銜環耳，圈足下接三獸首形足。通體飾瓦紋。器、蓋對銘三行十二字，記散伯爲矢姬作簋事。
現藏上海博物館。

[青銅器]

西周（公元前十一世紀至公元前七七一年）

獸目交連紋簋
西周
河南禹州市吳灣村出土。
高16.7、口徑23.8厘米。
盂形器，高圈足外撇，頸飾銜環對鈕。頸、圈足均飾獸面交連紋，以雷紋襯地。
現藏河南省文物考古研究所。

鳥紋簋
西周
高15.9、寬24.4厘米。
附耳，矮圈足鏤孔。頸飾高冠鳳鳥紋，腹與圈足飾蕉葉紋。
現藏故宮博物院。

417

[青銅器]

西周（公元前十一世紀至公元前七七一年）

毳簋
西周
高21.1、寬23.8厘米。
腹對飾附耳，圈足下接三足，蓋沿與器頸飾竊曲紋，餘飾直條紋。蓋、器對銘三行十六字，記毳作器事。
現藏故宮博物院。

匽侯盂
西周
遼寧喀喇沁左翼蒙古族自治縣馬廠溝窖藏出土。
高24.3、口徑33.8厘米。
侈口，深腹，平底，圈足，兩附耳上部有橫梁與器身相連。腹飾龍紋，圈足飾鳥紋，以雷紋襯地。器內壁有銘文五字"匽侯作餴盂"。
現藏中國國家博物館。

418

[青銅器]

西周（公元前十一世紀至公元前七七一年）

永盂
西周
陝西藍田縣洩湖鎮出土。
高47、口徑58厘米。
侈口，直腹，附耳，高圈足。飾扉棱四道，前後扉棱上部各飾一圓雕象首，頸飾龍紋，腹飾蕉葉獸面紋，圈足飾變形獸面紋。內底鑄銘一百二十三字，記天子委托益公賜師永田地等事。
現藏陝西省西安市文物保護考古所。

遹盂
西周
陝西西安市長安區新旺村出土。
高42、口徑55.5厘米。
雙附耳高出器表，頸飾龍紋，前後兩面中部浮雕獸首銜環身，一隻殘。腹飾波曲紋，圈足亦飾龍紋。內底鑄銘四十九字，記遹受天君命掌管寮女寮奚諸事。
現藏陝西省西安市文物保護考古所。

419

[青銅器]

西周（公元前十一世紀至公元前七七一年）

天亡簋
西周
陝西岐山縣禮村出土。
高24.2、口徑21厘米。
四獸首形耳，方形垂珥，圈足連鑄方座。器腹與方座四壁飾浮雕蝸體龍紋，圈足飾鳥紋。內底鑄銘七十八字，記乙亥日武王祭告文王，上帝滅商，天亡助祭得賞賜事。
現藏中國國家博物館。

利簋
西周
陝西西安市臨潼區西段村出土。
高28、口徑22厘米。
圈足下連方座，兩獸首形耳，方形垂珥，頸兩面正中浮雕獸首。腹、方座四面均飾獸面紋。圈足飾龍紋，均以雷紋襯地。內底鑄銘三十二字，記武王伐紂，于甲子日晨占領商國等事。
現藏中國國家博物館。

420

[青銅器]

西周（公元前十一世紀至公元前七七一年）

蝸身龍紋方座簋
西周
陝西涇陽縣高家堡1號墓出土。
高34.5、口徑21.5厘米。
獸首形雙耳，方形垂珥。腹及方座飾蝸體龍紋，圈足飾蛇紋，通體以雷紋襯地。
現藏陝西歷史博物館。

甲簋
西周
高29.8、口徑22.5厘米。
獸首形雙耳，獸張口噬鳥，鳥足與尾羽構成垂珥。頸、圈足、方座四壁周圍分別飾各種形式的鳳鳥紋，腹飾方格乳釘雷紋，方座頂面四角飾牛頭紋，四側面中部飾直條紋。
現藏上海博物館。

421

[青銅器]

西周（公元前十一世紀至公元前七七一年）

作寶彝簋
西周
高25.5、寬30.7厘米。
獸首形對耳，腹、圈足飾扉棱，腹、座四壁均飾大獸面紋，圈足飾蛇紋，器內底鑄銘三字"作寶彝"。
現藏故宮博物院。

獸面紋簋
西周
陝西西安市長安區大原村出土。
高21.5、口徑17.6厘米。
圈足連鑄方座，獸首形珥，耳下有鉤形珥。器腹與方座均飾獸面紋，圈足飾捲角龍紋。器內底鑄銘"作寶尊彝"四字。
現藏中國社會科學院考古研究所。

422

[青銅器]

西周（公元前十一世紀至公元前七七一年）

𢧜簋
西周
北京房山區琉璃河251號墓出土。
高22.3、口徑19.2厘米。
獸首形雙耳，長方形垂珥。腹與方座飾獸面紋和鳳紋。口沿與圈足飾渦紋和龍紋。器內底鑄銘"𢧜作文祖寶尊彝"七字。
現藏首都博物館。

圉簋
西周
北京房山區琉璃河253號墓出土。
高26.2、口徑12.8厘米。
獸首形雙耳，鉤形垂珥。蓋、腹、方座均飾獸面紋和龍紋，口沿與圈足同飾鳥紋。蓋銘三行十四字，記王賞賜圉貝事。器銘六字"白魚作寶尊彝"。
現藏首都博物館。

[青銅器]

西周（公元前十一世紀至公元前七七一年）

強伯簋
西周
陝西寶雞市紙坊頭1號墓出土。
高31、口徑25厘米。
猛虎噬牛形雙耳、長方形垂耳。腹飾獸面紋和回首龍紋，圈足飾龍紋。方座面四角飾牛首紋，方座以四隅爲中軸，飾牛首紋四組，牛角高聳，兩側填以夔龍紋、通體以雷紋襯地。器底鑄銘文二行六字"強伯作寶尊簋"。
現藏陝西省寶雞市青銅器博物館。

獸面紋方座簋
西周
陝西寶雞市竹園溝13號墓出土。
高25.9、口徑19.7厘米。
獸食鳥形雙耳，方形垂耳。腹飾夔龍組成的高浮雕獸面紋，并以雷紋襯地。圈足飾龍紋，方座飾牛角獸面紋，內懸一小銅鈴。
現藏陝西省寶雞市青銅器博物館。

[青銅器]

西周（公元前十一世紀至公元前七七一年）

圉簋
西周
遼寧喀喇沁左翼蒙古族自治縣小波汰溝村出土。
高29.8、口徑24厘米。
半環形獸首雙耳，長方形垂珥，滿飾獸面紋。器腹與方座均飾獸面紋，圈足飾鳥紋。腹內底鑄銘三行十四字，記王賜圉貝等事。
現藏遼寧省博物館。

滕侯簋
西周
山東滕州市莊里西村出土。
高22.5、口徑20.5厘米。
獸首形雙耳，鉤形垂珥。頸兩面中部浮雕獸首，間飾與圈足相同之龍紋。腹、方座飾斜方格乳釘紋。均以雷紋襯地。器底鑄銘八字"滕侯作滕公寶尊彝"。
現藏山東省滕州市博物館。

[青銅器]

西周（公元前十一世紀至公元前七七一年）

鄂叔簋
西周
高18.5、口徑18.2厘米。
四獸首形珥，方形垂耳。
口沿飾渦紋和龍紋，圈足飾獸面紋。方座之四角飾牛首紋，方座四壁飾長冠鳳紋。圈足內底懸一小鈴，鈴中有舌，發音清越。腹內底鑄銘六字，記鄂叔作此簋。
現藏上海博物館。

獸面紋方座簋
西周
陝西隴縣韋家莊村出土。
高29.5、口徑22.4厘米。
獸首形雙耳、長方形垂耳。器腹、圈足兩面正中飾扉棱。器腹與方座均飾夔龍組成的獸面紋，圈足飾夔龍紋。
現藏陝西省寶雞市青銅器博物館。

426

[青銅器]

西周（公元前十一世紀至公元前七七一年）

誒簋
西周
陝西西安市長安區花園村出土。
高25.5、口徑21.6厘米。
圈足下連鑄方座，鳳鳥形雙耳有垂珥。頸、腹、方座分別飾形態各异的花冠鳳鳥紋，圈足飾斜角目紋，皆以雷紋襯地，鳳鳥身上亦陰刻雷紋。內底鑄銘十八字，記堆叔誒隨王員征伐楚荊事。
現藏陝西歷史博物館。

孟簋
西周
陝西西安市長安區張家坡窖藏出土。
高24.5、口徑23.4厘米。
捲角獸首形，耳有垂珥，腹、方座四壁均飾大花冠鳳鳥紋，圈足飾獸目紋，通體以細雷紋襯地。內底鑄銘四十二字，記孟追述毛公賞賜其父事。
現藏陝西歷史博物館。

[青銅器]

西周（公元前十一世紀至公元前七七一年）

追簋

西周
高38.6、寬44.5厘米。
浮雕龍形對耳。蓋沿、器頸、圈足均飾竊曲紋，頸兩面中部浮雕獸面，腹與方座四面飾捲體龍紋。蓋、器同銘七行六十字，記追作器事。
現藏故宮博物院。

[青銅器]

西周（公元前十一世紀至公元前七七一年）

倗生簋
西周
高31、口徑21.9厘米。
捲鼻象頭形耳，蓋沿、口沿飾渦紋、龍紋相間紋帶，蓋、腹、方座中部飾直條紋，圈足飾渦紋、四瓣目紋相間紋帶。方座三邊飾獸目交連紋和渦紋。內底鑄銘八十二字，記倗生與格伯交易土地事。
現藏上海博物館。

㝬簋
西周
陝西扶風縣莊白村窖藏出土。
高36.1、口徑22.9厘米。
螺角獸首形耳。蓋沿、器頸飾鱗紋，頸兩面中部浮雕獸首。方座四壁各有六方形鏤孔，餘飾直條紋。蓋內與器底對銘四十四字，記周王命㝬繼承祖輩掌管禮儀事。
現藏陝西省周原博物館。

429

[青銅器]

西周（公元前十一世紀至公元前七七一年）

晉侯斯簋
西周
山西曲沃縣北趙村晉侯墓地8號墓出土。
高38.4、口徑24.8厘米。
獸首形耳，有垂珥，捉手內飾鳥紋和鱗紋，蓋與器身間飾橫條紋和目雷紋，方座每面三邊亦飾目雷紋。蓋內與器底對銘四行二十六字，記晉侯斯作器事。
現藏山西省考古研究所。

㝬簋
西周
陝西扶風縣齊村出土。
高59、口徑43厘米。
透雕龍首形耳，頸與圈足飾獸體捲曲紋，腹與方座四壁飾直條紋，座面飾變形獸面紋。內底鑄銘一百二十四字，記周厲王十二年厲王㝬爲祭祀先王所作祝詞。
現藏陝西省扶風縣博物館。

[青銅器]

虎簋
西周
傳陝西鳳翔縣出土。
高34.7、口徑23.3厘米。
蓋飾扉棱四道，頂有蓮瓣形捉手。獸首形耳。蓋面、器腹與方座四壁均飾波曲紋，頸飾獸目交連紋，圈足飾變形獸體紋。蓋、器同銘一虎形飾徽。
現藏上海博物館。

西周（公元前十一世紀至公元前七七一年）

[青銅器]

西周（公元前十一世紀至公元前七七一年）

菱形紋盂
西周
山西曲沃縣曲村7176號墓出土。
高17.5、口徑25.2厘米。
平底，肩飾銜環半環形對鈕，間飾重菱紋帶。
現藏北京大學賽克勒考古與藝術博物館。

虢叔盂
西周
高18.8、口徑34.7厘米。
盆形，侈口，折肩，斜腹，平底，兩側有獸首雙耳。肩飾斜角雲目紋。器底鑄銘"虢叔作旅盂"五字。
現藏山東省博物館。

[青銅器]

西周（公元前十一世紀至公元前七七一年）

瘌盨
西周
陝西扶風縣莊白村1號窖藏出土。
高13.5厘米，口長23.6、寬16.9厘米。
器身爲子口、鼓腹，外侈的圈足下有四短足，腹側有二略下垂的獸首鋬耳。近口處飾以雷紋襯地鳳鳥紋一周。腹飾橫瓦紋。內底鑄銘六十字，記周王于師錄宮冊賜瘌車馬器具事。
現藏陝西省周原博物館。

應侯再盨
西周
河南平頂山市滍陽嶺應國墓地84號墓出土。
高22.4厘米，口長28.8、口寬19.8厘米。
蓋上有曲尺形捉手，器身兩側有帶垂珥的獸首鋬，圈足鏤空加一圈形底座。口緣與蓋緣飾長尾鳳鳥紋，雷紋襯地。蓋捉手飾相背而立的鳳鳥紋。圈足飾波曲紋。蓋內與器底同銘四行二十八字。
現藏河南省文物考古研究所。

[青銅器]

西周（公元前十一世紀至公元前七七一年）

白敢卑盨
西周
高18.9厘米，口長22、寬14.5厘米。
子母口，器身附獸首銜環雙耳，蓋頂和器底各有四隻曲尺形捉手和扁足。蓋緣和器口下飾相背捲尾龍紋。蓋內有銘三行十六字。
現藏北京市保利藝術博物館。

善夫克盨
西周
陝西扶風縣任家村出土。
高19.9、口長21.3厘米。
蓋上有四曲尺形捉手，器腹略垂，兩側二龍首鋬，圈足外撇，四中有壺門。捉手上飾龍紋。蓋沿、器頸、圈足飾簡體竊曲紋，餘飾橫條紋。蓋內與器底對銘一百零四字，記周王命史趞載善夫克田地、奴隸于典册事。
現藏美國芝加哥藝術館。

[青銅器]

西周（公元前十一世紀至公元前七七一年）

伯多父盨
西周
陝西扶風縣雲塘村窖藏出土。
高21.5厘米，口長25、寬17厘米。
橢方形器，龍首形對耳，蓋有曲尺形的透雕雲紋捉手兼足，可却置。蓋頂飾獸目交連紋，蓋沿與器頸、圈足飾獸體捲曲紋，餘飾瓦棱紋。蓋器對銘十字，記伯多父作器事。
現藏陝西省周原博物館。

晉侯 盨
西周
山西曲沃縣北趙村晉侯墓地2號墓出土。
高17.8厘米，口長21.4、寬13.5厘米。
橢方形器，附耳，獸首形對耳。蓋鈕、器足均爲圓環狀，上生二長突。蓋沿與器頸飾回顧式龍紋一周，餘飾瓦紋。蓋器對銘六行三十字，記晉侯 作器事。
現藏上海博物館。

[青銅器]

西周（公元前十一世紀至公元前七七一年）

晉侯穌盨
西周
山西曲沃縣北趙村晉侯墓地1號墓出土。
高22.2厘米，口長26.7、寬20厘米。
橢圓形器，附耳與器身以二橫梁相連，圓環形蓋鈕，蹲踞人形器足。蓋頂飾龍紋，蓋沿及器口飾鱗紋，餘飾瓦棱紋。蓋器對銘三行十四字，記晉侯穌作器事。
現藏上海博物館。

陘伯盨
西周
甘肅寧縣宇村謝家遺址出土。
高16厘米，口徑長22.2、寬15.4厘米。
獸首形雙耳，蓋有捉手兼足。器口和蓋緣飾重環紋，器腹飾瓦棱紋，蓋頂飾竊曲紋。器底有銘二行六字。
現藏甘肅省博物館。

[青銅器]

西周（公元前十一世紀至公元前七七一年）

魯伯愈盨
西周
山東曲阜市魯國故城望父臺墓地30號墓出土。
高19厘米，口長35、寬17.7厘米。
橢方形器，獸首形雙耳。蓋飾四矩形變形龍紋鈕，中部又有一伏虎形鈕、口緣、蓋緣及圈足飾獸體捲曲紋，餘飾瓦棱紋。蓋內與器底對銘六行三十七字，記魯伯愈作器事。
現藏山東省曲阜市文物局。

夔紋簠
西周
高37、寬55.8厘米。
圓角方形，蓋、器形制基本相同，捉手、圈足及蓋器的上下邊緣飾細長的夔龍紋，其餘部分飾直棱紋。
現藏故宮博物院。

437

[青銅器]

西周（公元前十一世紀至公元前七七一年）

伯公父瑚
西周
陝西扶風縣雲塘村窖藏出土。
高19.8厘米，口長28.3、寬23厘米。
蓋、器同形，兩側邊置環耳，合口處正中有牛首形卡口。捉手及圈足飾垂鱗紋，蓋面及器腹飾波曲紋，口緣處飾重環紋，蓋、器同銘六十一字，記伯公父鑄器事。
現藏陝西省周原博物館。

龍耳瑚
西周
山東肥城縣小王莊村出土。
高17.5厘米。
蓋、器形態及紋飾基本相同，蓋頂及器底各有四虎作鈕或足，蓋面及器腹兩側各有一拱背的龍為耳。蓋面及器腹飾相背的捲體龍紋，蓋壁及器壁飾曲折紋。
現藏山東省博物館。

[青銅器]

西周（公元前十一世紀至公元前七七一年）

鏤空足鋪
西周
陝西寶雞市茹家莊1號墓乙室出土。
高9、口徑11.2厘米。
盤的假腹外壁飾八個圓形乳釘。圈足鏤空如斜向交叉編織的竹器。
現藏陝西省寶雞市青銅器博物館。

微伯癲鋪
西周
陝西扶風縣莊白村窖藏出土。
高14.5、口徑27.8厘米。
淺盤外壁飾鱗紋，圈足飾鏤空波曲紋。內底鑄銘文十字，記微伯癲作器事。
現藏陝西省周原博物館。

439

[青銅器]

西周（公元前十一世紀至公元前七七一年）

鱗紋鋪
西周
陝西岐山縣董家村窖藏出土。
高16.2、盤徑24厘米。
淺盤直壁，盤底下凹，圈足較細且束腰，已與豆造型接近。盤壁飾重環紋，座足鏤空飾雙頭龍紋。
現藏陝西省岐山縣博物館。

康生豆
西周
高15.1、口徑15.5厘米。
平唇直口的豆盤，圈足粗壯，盤、足間有獸首形鋬。盤壁飾圓渦紋與捲體龍紋相間的紋帶，圈足飾斜角龍紋和獸面形長垂葉紋，通體以雷紋襯地。盤底鑄銘二行十字"康生作文考癸公寶尊彝"。
現藏山西博物院。

[青銅器]

西周（公元前十一世紀至公元前七七一年）

周生豆

西周

陝西寶雞市西高泉村出土。
高19.5、口徑14.8厘米。
豆盤作斂口、斜壁、平底之形，豆柄甚高，作束腰帶箍之形。豆盤以突起的圓渦紋爲主題紋樣，以雲紋爲襯托紋樣，器柄滿布垂鱗紋。盤內底鑄銘十字，記周生作器事。
現藏陝西省寶雞市青銅器博物館。

衛始豆

西周

高17.4、寬18.5厘米。
豆的蓋子很像簋蓋，且不能完全罩住子口，是否是原配豆蓋，應當存疑。器盤爲子口，直壁，斜腹，圈足較矮且較細，中有一箍帶。蓋頂飾瓦紋，蓋沿與器腹飾重環紋。蓋、器同銘二行六字，記衛始作器事。
現藏故宮博物院。

[青銅器]

西周（公元前十一世紀至公元前七七一年）

何尊
西周
陝西寶雞市賈村鎮出土。
高39、口徑28.6厘米。
橢方形筒狀三段式，侈口，腹微鼓，高圈足，四面中部通飾扉棱，頸飾蕉葉獸體紋，下接蛇紋。腹飾牛首紋，牛角翹出器壁，圈足飾虎頭紋，通體以細雷紋襯地。內底鑄銘一百二十二字，記成王五年營造成周對宗小子的一次誥命。
現藏陝西省寶雞市青銅器博物館。

伯各尊
西周
陝西寶雞市竹園溝7號墓出土。
高25.8、口徑20.7厘米。
通體飾扉棱四道，頸飾蕉葉狀龍紋，下飾回首龍紋，腹飾獸面紋，獸角翹出器表。圈足飾龍紋。器底鑄銘二行六字"伯各作寶尊彝"。
現藏陝西省寶雞市青銅器博物館。

[青銅器]

西周（公元前十一世紀至公元前七七一年）

商尊
西周
陝西扶風縣莊白村窖藏出土。
高30.4、口徑23.6厘米。
通體飾扉棱四道。頸飾蕉葉龍紋，其下飾鳥紋，腹飾大捲角獸面紋，圈足飾折角獸面紋。內底鑄銘三十字，記帝后賞賜商妻庚姬事。
現藏陝西省周原博物館。

旅尊
西周
陝西扶風縣莊白村窖藏出土。
高32.5、口徑25.9厘米。
通飾扉棱四道。口沿下飾蕉葉鳥紋，其下與圈足飾花冠龍紋，腹飾外捲角獸面紋。通體以雷紋襯地，主紋上又陰刻紋飾。內底鑄銘四十字，記昭王十九年賞賜旅事。
現藏陝西省周原博物館。

[青銅器]

魚尊
西周
遼寧喀喇沁左翼蒙古族自治縣灣子村出土。
高36.5、口徑25.3厘米。
圈足較高，腹與圈足間有十字形鏤孔。通體四條扉棱。
頸、腹、圈足均飾獸面紋。銘"魚"字。
現藏遼寧省博物館。

獸面紋尊
西周
山西曲沃縣曲村6210號墓出土。
高28.3、口徑21.3厘米。
腹部飾獸面紋，獸面額部有兩鳥紋。器內底有銘一行七字。
現藏北京大學賽克勒考古與藝術博物館。

[青銅器] 西周（公元前十一世紀至公元前七七一年）

小臣尊
西周
湖北江陵縣萬城村出土。
高20.1、口徑18.5厘米。
腹飾獸面紋，上下以弦紋爲欄。器底鑄銘二行七字"小臣作父乙寶彝"。
現藏湖北省博物館。

保尊
西周
河南洛陽市出土。
高24.5、口徑18.5厘米。
腹飾細雷紋組成的獸面紋，上下以聯珠紋和弦紋爲欄。圈足內鑄銘文四十六字，記周王命保平定武庚叛亂後給予厚賞等事。
現藏河南博物院。

445

[青銅器]

西周（公元前十一世紀至公元前七七一年）

鄂侯弟曆季尊
西周
湖北隨州市安居鎮羊子山出土。
高19.5、口徑17-18厘米。
腹一側飾龍首形鋬，通體除數道弦紋外皆素面。器底鑄銘二行八字"鄂侯弟曆季作旅彝"。
現藏湖北省襄樊市博物館。

豐尊
西周
陝西扶風縣莊白村窖藏出土。
高16.8、口徑16.8厘米。
口下飾仰葉鳳鳥紋，頸飾帶狀鳳鳥紋，兩面中部浮雕獸首，腹飾花冠捲尾鳳鳥紋，通體以雷紋襯地。內底鑄銘三十一字，記周王命豐去見大矩，大矩賞賜豐事。
現藏陝西省周原博物館。

【青銅器】

西周（公元前十一世紀至公元前七七一年）

效尊
西周
傳河南洛陽市或陝西西安市長安區出土。
高21.2、口徑15.7厘米。
口下飾仰葉鳳鳥紋，頸飾龍紋，兩面中部浮雕獸首，腹飾花冠捲尾鳳鳥紋，圈足飾獸目紋、通體以雷紋襯地。內底鑄銘六十七字，記周王賞賜東宮貝五十朋，東宮轉賜效二十朋事。
現藏日本神戶白鶴美術館。

免尊
西周
高17.2、寬18.3厘米。
頸飾垂冠回首夔龍紋，兩面中部浮雕獸首。尊內底鑄銘五行四十九字，記王在鄭地對免的一次冊命及賞賜事。
現藏故宮博物院。

447

[青銅器]

毃古方尊
西周
高21.8、口徑20.1厘米。
方形圈足，器四隅飾扉棱。頸飾蕉葉形獸面紋，下飾鳳鳥紋，肩飾顧首夔龍紋，四隅浮雕象首。腹飾大獸面紋，圈足飾鳳鳥紋，均以雷紋襯地。銘"毃古作旅"四字。
現藏上海博物館。

[青銅器]

西周（公元前十一世紀至公元前七七一年）

榮子方尊
西周
傳河南洛陽市出土。
高27.7、口徑23厘米。
體方形，器四隅及四面中部飾扉棱。通體浮雕三層花紋，頸飾蕉葉狀鳥紋，頸飾長冠鳳鳥，腹飾捲角獸面紋，圈足飾顧首龍紋，通體以雷紋襯地。內底鑄銘六字，記榮子作器。
現藏日本神戶白鶴美術館。

縠父乙方尊
西周
高23、口徑20.5厘米。
圓口方圈足，器四隅及四壁中部飾扉棱。頸、圈足飾鳥紋，頸兩面中部浮雕獸首。器內底鑄銘三行十五字，記縠爲父乙作器事。
現藏故宮博物院。

449

[青銅器]

西周（公元前十一世紀至公元前七七一年）

日己方尊
西周
陝西扶風縣齊家村窖藏出土。
高29、口徑24.8厘米。
圓口方體，器四隅通飾扉棱、口下飾蕉葉鳥紋，頸、圈足飾鳳鳥紋帶，腹飾捲角獸面紋。內底鑄銘十八字，記天氏為亡父日己作祭器事。
現藏陝西歷史博物館。

盠方尊
西周
陝西眉縣李村出土。
高17.2、口徑17厘米。
圓口方體，器四隅通飾扉棱，腹兩側對飾外捲象鼻形鋬。頸飾蕉葉紋，腹中部飾渦紋，周飾龍紋，圈足亦飾龍紋，通體以雷紋襯地。內底鑄銘一百零八字，記周王對盠的一次冊命。
現藏陝西歷史博物館。

450

[青銅器]

西周（公元前十一世紀至公元前七七一年）

強季尊
西周
陝西寶雞市竹園溝4號墓出土。
高22.1厘米，口長19.5、寬19.1厘米。
腹側有一獸首形鋬，器底承四虎形扁足。
腹中部飾龍紋帶，一側中部浮雕牛首，以
雷紋襯地。器底鑄銘二行六字，記強季作
器事。
現藏陝西省寶雞市青銅器博物館。

魯侯尊
西周
高22.2、口徑20.7厘米。
器底在方形器座一、二層之間。獸首形對
耳，下接寬大尾翼形飾。通體素面。腹內
底有銘四行二十二字，記魯侯伐東國事。
現藏上海博物館。

[青銅器]

鄧仲犧尊

西周
陝西西安市長安區張家坡村出土。
高38.8、通長41.4厘米。
神獸形器，獸背中部有橢方形器口，蓋立鳳鳥形鈕。神獸頭頂圓雕立虎，胸前與臀部圓雕回首形龍，腹中部起扉棱，胸飾龍紋和虎紋，腹、臀飾龍紋，通體以雷紋襯地。器腹及蓋內對銘二行六字，記鄧仲作器事。
現藏中國社會科學院考古研究所。

[青銅器]

西周（公元前十一世紀至公元前七七一年）

虎形尊
西周
湖北江陵縣江北農場出土。
高21.8、長35厘米。
虎形器，脊起扉棱，背中部開口，蓋與器身以鳥形鈕相連，四肢根部飾渦紋，腹飾網格紋，餘飾虎斑紋。
現藏湖北省荊州博物館。

井姬貘形尊
西周
陝西寶雞市茹家莊2號墓出土。
高18.6、長30.8厘米。
橢形器，背中部開方形口，蓋有立虎形鈕，尾成半環形鋬，四肢根部均飾渦形屈體獸紋。蓋內鑄銘二行八字，記強伯作器事。
現藏陝西省寶雞市青銅器博物館。

453

[青銅器]

西周（公元前十一世紀至公元前七七一年）

象形尊
西周
陝西寶雞市茹家莊1號墓乙室出土。
高23.6、長37.8厘米。
器作象形，背中部開長方形口，蓋飾二環鈕，有鏈與器相連。蓋面飾蛇紋，象身飾渦形鳳鳥紋，間飾三角紋。現藏陝西省寶雞市青銅器博物館。

虎尊
西周
長75.2厘米。
立虎形，背有長方形口，通體浮雕花紋。
現藏美國華盛頓弗利爾美術館。

[青銅器]

西周（公元前十一世紀至公元前七七一年）

牛形尊
西周
陝西岐山縣賀家村出土。
高24、長38厘米。
器作牛形，牛舌伸出成流，尾捲成環形鋬。背上開口，蓋圓雕虎鈕，蓋、器以環鏈相連。通體以雷紋襯地，蓋飾龍紋，體飾獸目交連紋與獸體捲曲紋。
現藏陝西歷史博物館。

亞此獸形尊
西周
高21.5、長24厘米。
器作獸形，獸首上飾龍角，角間連以拱形。背中部開橢方形器口，鳥爪形足。原有蓋，鑄"亞此"二字，現蓋已失。
現藏英國倫敦戴迪野行。

[青銅器]

西周（公元前十一世紀至公元前七七一年）

盠駒尊
西周
陝西眉縣李村出土。
高23.4、長34厘米。
驪駒形器，脊有短鬃，背中部有方口，上置蓋。腹飾渦紋。胸前鑄銘九十四字，蓋銘十一字，均記周王在盩地賜盠驪駒事。
現藏中國國家博物館。

兔形尊
西周
山西曲沃縣北趙村晉侯墓地8號墓出土。
高22.2、長31.8厘米。
器作伏兔形，腹中部凸起喇叭形口，腹飾同心圓紋帶三周，自內而外依次為渦紋、斜角雷紋和勾連雷紋，兔足下有長方形座。
現藏山西省考古研究所。

[青銅器]

西周（公元前十一世紀至公元前七七一年）

兔形尊
西周
山西曲沃縣北趙村晉侯墓地8號墓出土。
高13.8、長20.4厘米。
器作兔形，背中部開圓角長方形口，蓋有環形鈕。
直接以兔足着地。腹中部飾同心圓紋三周，自內而
外依次為渦紋、斜角雷紋和勾連雷紋。
現藏山西省考古研究所。

鳥形尊
西周
陝西寶雞市茹家莊1號墓乙室出土。
高23.5、長31.2厘米。
器作立鳥狀，後腹下衍出一足，作三足着地，尾
長方形，兩側階梯狀。背開長方口，通飾羽紋。
現藏陝西省寶雞市青銅器博物館。

457

[青銅器]

西周（公元前十一世紀至公元前七七一年）

魚形尊
西周
陝西寶雞市茹家莊出土。
長28、高15厘米。
魚形器，通飾魚鱗紋。蓋面飾魚紋鰭形鈕與二圓環，四足作雙手捧腹、屈膝負重狀人形。
現藏陝西省寶雞市青銅器博物館。

鴨形尊
西周
遼寧喀喇沁左翼蒙古族自治縣馬廠溝窖藏出土。
高44.6、長41.9厘米。
器作鴨形，扁喙，兩足直立有蹼，背有杯形口，兩翼微凸，臀下有支柱。頸以下飾方格紋。
現藏中國國家博物館。

蝸身龍紋罍
西周
遼寧喀喇沁左翼蒙古族自治縣北洞村2號窖藏出土。
高44.5、口徑16.5厘米。
蓋面作盤龍狀，龍首高翹，前足蹲踞。肩飾獸首銜環耳，下腹飾牛首形鼻。肩飾蝸身龍紋，腹飾獸面紋，下腹及圈足飾龍紋，均以雷紋襯地。
現藏遼寧省博物館。

[青銅器]

西周（公元前十一世紀至公元前七七一年）

渦龍紋罍
西周
湖北江陵縣萬城村出土。
高31.5厘米。
獸首銜環對耳，肩飾斜角目紋，下接渦紋、龍紋相間紋帶，腹飾內填捲角龍紋的蕉葉龍紋。
現藏湖北省博物館。

渦龍獸面紋罍（右圖）
西周
陝西寶雞市茹家莊1號墓乙室出土。
高15.8、口徑6.4厘米。
獸首銜環對耳，蓋面與肩部飾渦紋與龍紋相間紋帶，器腹飾獸面紋和垂葉紋，下腹飾牛首形鼻。
現藏陝西省寶雞市青銅器博物館。

460

[青銅器]

西周（公元前十一世紀至公元前七七一年）

渦龍紋罍
西周
陝西扶風縣齊家村窖藏出土。
高47.5、口徑23厘米。
獸首形對耳，銜繩索形環，頸飾波曲紋，肩飾渦紋、龍紋相間紋帶，腹飾垂葉形龍紋。
現藏陝西歷史博物館。

對罍
西周
陝西鳳翔縣勸讀村出土。
高46、口徑23厘米。
獸首銜環對耳，頸飾象鼻龍紋，肩飾渦紋、變形龍紋相間紋帶，腹飾垂葉形虎耳龍紋。口內鑄銘二十五字，記對爲亡父日癸作器事。
現藏陝西省鳳翔縣博物館。

461

[青銅器]

西周（公元前十一世紀至公元前七七一年）

仲義父罍
西周
陝西扶風縣法門鎮任家村出土。
高44.2、口徑15.5厘米。
蓋有索狀鈕，口沿下有四小環，肩飾蜷體龍形耳。頸肩交接處飾變形獸體紋，餘皆飾重環紋、垂鱗紋。蓋、肩各鑄銘文十六字，記仲義父作器事。
現藏上海博物館。

鄭義伯罍
西周
高45.5、口徑14.7厘米。
小口，束頸，鼓腹。蓋頂有繩紋鈕，口下有四環鈕，肩飾龍形對耳。通體飾重環紋、瓦紋、竊曲紋、垂鱗紋。蓋、器同銘三十餘字，記鄭義伯作器事。
現藏故宮博物院。

母嬃方罍

西周

河南洛陽市北窑村出土。

高50.3、口長13厘米。

蓋作四坡式頂,器四隅及四中通飾扉棱八道。肩飾獸首銜環耳,兩面中部浮雕獸首,正面下腹有獸首形鋬。蓋飾獸面紋,頸、肩、圈足飾龍紋,腹飾鳥紋及蕉葉龍紋。蓋内與器口内壁對銘"母嬃"二字。

現藏河南省洛陽市文物工作隊。

[青銅器]

西周（公元前十一世紀至公元前七七一年）

冄父丁方罍
西周
高46.4厘米，口長14、寬12厘米。
蓋作四阿式頂。肩飾獸首銜環耳，下腹一側有獸首鋬。蓋沿、肩部飾渦紋，間飾獸首，頸與圈足飾獸面紋。器、蓋同銘六字，記冄氏爲父丁作器事。
現藏上海博物館。

令方彝
西周
傳河南洛陽市馬坡村出土。
高34.1厘米，口長19.3、寬17.7厘米。
器四隅及四中通飾扉棱。蓋、蓋鈕均作四坡式屋頂形。鈕、蓋、腹四壁均飾雙龍組成的大獸面紋，口沿下浮雕雙體龍紋，圈足飾鳳鳥紋。蓋内及器底對銘一百八十七字，記周公子明保在成周受命等事。
現藏美國華盛頓弗利爾美術館。

旂方彝

西周

陝西扶風縣莊白村西周窖藏出土。
高40.7厘米，口長24、寬19.2厘米。
器四隅及四壁中部通飾扉棱。蓋仿廡殿式屋頂，鈕仿硬山屋頂形，腹壁曲。蓋頂、蓋鈕、器腹均飾獸面紋，蓋脊兩側、頸部與圈足飾顧首龍紋，通體以雷紋襯地。銘文內容與旂觥相同。
現藏陝西省周原博物館。

[青銅器]

日己方彝
西周
陝西扶風縣齊家村窖藏出土。
高38.5厘米，口長20、寬17厘米。
器四隅通飾扉棱，蓋頂與器腹浮雕變形獸面紋，蓋沿與圈足飾鳥紋。蓋內與器底同銘十八字，記天氏爲亡父日己作祭器事。
現藏陝西歷史博物館。

[青銅器]

西周（公元前十一世紀至公元前七七一年）

叔㚷方彝
西周
河南洛陽市馬坡村出土。
高33厘米，口長21、寬16厘米。
器四隅及四中均飾扉棱。蓋、蓋鈕均作四坡式屋頂形，蓋、腹飾獸面紋，蓋脊兩側、頸部及圈足飾鳥紋。蓋內及器底對銘十二字，記叔㚷得周王后妃賞賜事。
現藏河南省洛陽博物館。

師遽方彝
西周
高16.4厘米，口長9.8、寬7.6厘米。
蓋、蓋鈕均作四阿式屋頂形，器四隅及四面中部通飾扉棱，腹兩側對飾向上外捲象鼻形鋬。蓋、腹飾變形獸面紋，頸及圈足飾變形獸體紋。腹內中壁有隔，將器腹分爲兩室，蓋沿一側有兩方孔可容匙柄。器、蓋同銘六十六字，記恭王賞賜師遽事。
現藏上海博物館。

[青銅器]

西周（公元前十一世紀至公元前七七一年）

盠方彝
西周
陝西眉縣李村出土。
高18厘米，口長11.6、寬8.4厘米。
器四隅通飾扉棱，腹兩側對飾外捲象鼻形鋬。腹內中壁有隔，將器腹分爲兩室，蓋沿有方形孔。蓋、器正中飾渦紋，周飾龍紋。鋬飾獸體捲曲紋，頸、圈足飾變形龍紋。蓋、器同銘一百零八字，記周王對盠的一次册命。
現藏陝西歷史博物館。

垂鱗紋方彝
西周
湖北隨州市均川鎮熊家老灣村出土。
高32、口長28.4厘米。
器四隅飾扉棱四道，四棱形蓋鈕，頸飾半環形對耳。蓋面飾雲紋，蓋沿飾獸面紋，頸飾夔紋，腹飾垂鱗紋，圈足飾席紋。頸兩面中部加飾獸首。
現藏湖北省博物館。

[青銅器]

渣伯逘壺
西周
河南浚縣辛村衛侯墓地出土。
高35.8、口徑20.6厘米。
獸首形提梁，蓋沿與器頸飾龍紋，頸中部浮雕獸首，與之相對下腹有半環形鼻。腹飾寬帶組成的田字形網格，圈足飾鳥紋。蓋内、器底對銘二行十一字，記渣伯逘爲亡父作器事。
現藏日本東京出光美術館。

父癸壺
西周
傳甘肅靈臺縣出土。
高39.5厘米。
子母口，肩部有提梁，蓋面、肩部均飾雷紋組成的變體獸面紋。肩中部浮雕獸首，與之相對下腹有半環形鼻。口沿鑄銘文"父癸"二字。
現藏甘肅省博物館。

西周（公元前十一世紀至公元前七七一年）

469

[青銅器]

西周（公元前十一世紀至公元前七七一年）

虢季子組提梁壺
西周
高33、寬21.4厘米。
失蓋。頸對飾半環鈕，穿索狀提梁，頸、圈足均飾菱格回紋帶，上下界飾聯珠紋。頸中部兩面浮雕獸首。内底鑄銘三行十七字，記虢季子組作器事。
現藏故宫博物院。

鳳紋提梁壺
西周
陝西寶雞市鬥雞臺出土。
高35.5、寬22.8厘米。
扁圓形器，器身通飾扉棱四道。蓋兩面中部外衝獸首，頸飾四歧頭飛脊，脊正面浮雕牛首。掌形雙角獸首形提梁，梁身轉折處浮雕牛首。蓋面與頸部飾直條紋，蓋沿、口沿、腹、圈足均飾鳳鳥紋。
現藏美國波士頓美術館。

[青銅器]

西周（公元前十一世紀至公元前七七一年）

伯各提梁壺
西周
陝西寶雞市竹園溝7號墓出土。
高33.6、口沿10.4–12.6厘米。
扁圓形器，器身通飾扉棱四道。捲角羊首形提梁，提梁轉角處浮雕牛首，梁面飾龍紋。蓋緣、器頸、圈足皆飾龍紋，蓋面與器腹飾獸面紋，獸角翹出，蓋鈕四面浮雕獸首。
現藏陝西省寶雞市青銅器博物館。

戈五提梁壺
西周
陝西涇陽縣高家堡1號墓出土。
高25、口徑7.9–10.2厘米。
扁圓形器，獸首形提梁，梁面飾方格紋。蓋頂與器腹飾獸面紋，蓋緣、器頸與圈足飾鳥紋。蓋內與器底對銘"戈五"二字。
現藏陝西歷史博物館。

471

[青銅器]

西周（公元前十一世紀至公元前七七一年）

𫓧提梁壺
西周
陝西涇陽縣高家堡1號墓出土。
高36、口徑11.6–14.8厘米。
扁圓形器，通飾扉棱四道。獸首形提梁，梁面飾龍紋。蓋面與器腹飾獸紋，蓋沿、頸、圈足飾龍紋。蓋內銘"𫓧作父戊尊彝，戈"七字，器底有"♀"字銘。
現藏陝西歷史博物館。

太保提梁壺
西周
河南洛陽市出土。
高25.8、口寬9.4–12.2厘米。
橢圓形體，獸首形提梁。蓋與口沿下飾龍紋，上下以聯珠紋爲界。頸中部浮雕獸首，提梁與圈足飾斜角龍紋，圈足內底飾一蟬紋。器、蓋對銘四十六字，記召公太保受王命伐殷東國五侯事。
現藏上海博物館。

472

商提梁壺
西周
陝西扶風縣莊白村窖藏出土。
高38.6、口徑13.2厘米。
橢圓形體，獸首形提梁，通飾扉棱四道，蓋面、器腹飾獸面紋。蓋沿、頸、圈足飾鳥紋三周，頸中部浮雕獸首。蓋內與器底同銘三十字，記帝后賞賜商妻庚姬事。現藏陝西省周原博物館。

[青銅器]

西周（公元前十一世紀至公元前七七一年）

獸面紋提梁壺
西周
山西曲沃縣曲村6081號墓出土。
高18厘米。
扁圓形器，蓋、器飾扉棱兩道。獸首形提梁，梁面施蟬紋。蓋面與器腹飾獸面紋，蓋沿與圈足飾蛇紋。
現藏山西省考古研究所。

小臣提梁壺
西周
湖北江陵縣萬城村出土。
高24.2厘米。
扁圓形器體，獸首形提梁。蓋沿與器頸飾虎耳龍紋，頸中部浮雕獸首，圈足飾雙列式目紋。蓋內與器底對銘"小臣作父乙寶彝"七字。
現藏湖北省博物館。

[青銅器]

西周（公元前十一世紀至公元前七七一年）

伯提梁壺
西周
陝西扶風縣召李村出土。
梁高19.5、口徑8.5-11厘米。
橢方形體，通飾扉棱四道，扁形提梁。蓋、腹飾以相對夔龍組成的獸面紋，提梁飾蟬紋，蓋沿、頸部飾渦紋，頸中部飾浮雕獸首。圈足飾相顧式雙頭鳥紋，均以雷紋襯地。蓋器對銘"伯作尊彝"四字。
現藏陝西省扶風縣博物館。

效提梁壺
西周
傳河南洛陽市出土。
高24.3厘米，口長13.2、寬9.7厘米。
橢圓形器，獸首形提梁，蓋面及器腹飾鳳鳥紋，頸與圈足飾龍紋。
現藏上海博物館。

[青銅器]

神面提梁壺
西周
高33.8、口徑14厘米。
蓋、腹、圈足對飾扉棱兩道。浮雕象首提梁，提梁轉角處浮雕龍首，梁面飾鱗紋，龍尾交會于提梁正中。梟形蓋鈕，蓋面、器腹均飾神面紋，頸中部浮雕鏊首，圈足飾一首雙身蛇紋。蓋、器同銘二行五字"作厥寶尊彝"。
現藏北京市保利藝術博物館。

[青銅器]

西周（公元前十一世紀至公元前七七一年）

邢季㚣提梁壺
西周
高22.4、口徑12.2厘米。
橢圓形器，獸首形提梁，蓋兩端有犄角。通體以雷紋襯地，蓋面與器腹飾長翎鳳紋，頸飾花冠長尾鳳紋，兩面正中浮雕獸首。蓋內與器底對銘二行六字"邢季㚣作旅彝"。
現藏日本京都泉屋博古館。

豐提梁壺
西周
陝西扶風縣莊白村窖藏出土。
高21、口徑8.8-12.2厘米。
橢圓形器，圓雕羊首形提梁，上飾蟬紋，間飾四棱錐形凸釘。蓋面飾顧首鳥紋和龍紋，器頸、器腹均飾鳳鳥紋，通體以雷紋襯地。蓋左右有直立犄角。蓋、器同銘，記周王命豐見大矩，大矩賞賜豐事。
現藏陝西省周原博物館。

477

[青銅器]

西周（公元前十一世紀至公元前七七一年）

啓提梁壺
西周
山東龍口市歸城小劉莊出土。
高22.7厘米。
橢圓形器，獸首形提梁。蓋沿與器頸飾波曲紋，頸兩面中部浮雕獸首。蓋內與器底同銘五行三十七字，記啓從周王出狩南土事。
現藏山東省博物館。

古父己提梁壺
西周
高33.2、口徑15.7厘米。
牛首形提梁，轉折處浮雕牛首，梁面飾龍紋。蓋面與器腹均飾大牛首紋，雙角翹出器表。頸與圈足飾龍紋。器、蓋同銘六字，記古氏爲父己作祭器事。
現藏上海博物館。

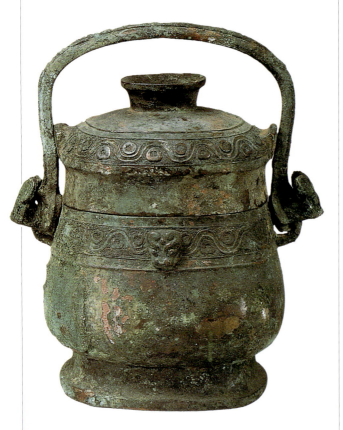

[青銅器]

西周（公元前十一世紀至公元前七七一年）

㵽伯提梁壺
西周
甘肅靈臺縣白草坡1號墓出土。
高29、口徑12厘米。
提梁兩端羊首形，梁面飾龍紋。蓋緣與器身上下均飾分尾龍紋帶，上下以弦紋爲欄。頸部中間飾獸首。蓋內與器底同銘二行六字"㵽伯作寶尊彝"。
現藏甘肅省博物館。

鳳紋筒形提梁壺
西周
陝西寶雞市竹園溝13號墓出土。
高33.3、口徑12.4厘米。
器呈筒形獸首形提梁，梁面有凹槽，內鑄凸棱三道。蓋面、器身間飾直條紋和顧首垂冠捲尾鳳紋，鳳紋中部間飾獸首。
現藏陝西省寶雞市青銅器博物館。

479

[青銅器]

西周（公元前十一世紀至公元前七七一年）

太保鳥形提梁壺
西周
傳河南浚縣出土。
高23.4、腹徑13.7厘米。
器作昂首鳥形，寬尾垂地，與二鳥足鼎形而立。頭生毛角，腭生肉垂。體飾羽紋，鳥頭後部有窄長口，附蓋。蓋內及喉內各鑄"太保鑄"三字。
現藏日本神戶白鶴美術館。

貫耳壺
西周
遼寧喀喇沁左翼蒙古族自治縣馬廠溝村出土。
高24厘米。
圜底，頸有繫繩用貫耳。體飾仿皮帶的十字垂帶。
現藏遼寧省博物館。

[青銅器]

西周（公元前十一世紀至公元前七七一年）

劇嫣壺
西周
高31.4、口徑9厘米。
頸部對飾貫耳。口下飾虺紋，腹飾蕉葉形獸面紋，以雲雷紋襯地。口內鑄銘兩行五字"劇嫣作寶壺"。
現藏故宮博物院。

鱗紋壺
西周
陝西扶風縣莊白村西周墓出土。
高48.7、口徑12.5厘米。
頸對飾貫耳，蓋沿與器頸均飾長尾鳳鳥紋，以雷紋襯地。腹飾如意狀重叠式鱗紋，圈足飾圓形鏤孔。
現藏陝西省扶風縣博物館。

481

[青銅器]

鳳紋壺
西周
高36.4厘米。
圓頸，橢方深腹，圈足，帶蓋，肩飾對耳。蓋與頸部飾垂鱗紋，腹飾以寬帶紋組成的田字網格，內飾花冠鳳鳥紋。
現藏美國舊金山亞洲藝術博物館。

女嬛妊壺
西周
高19、口徑7.8厘米。
頸部有雙貫耳。頸部飾獸面紋，腹部交錯飾波狀雲紋和雷紋。器內底有銘五字。
現藏北京大學賽克勒考古與藝術博物館。

十三年瘨壺

西周
陝西扶風縣莊白村窖藏出土。
高59.6、口徑16.9厘米。
螺角獸首銜環對耳。蓋頂飾捲體鳳鳥紋，蓋緣飾鱗紋，頸飾花冠鳳鳥紋，腹飾以鱗紋帶組成的網格圖，交會處飾四棱錐形凸釘，圈足飾波曲紋。蓋榫與頸外壁對銘五十六字，記周王對瘨的一次册命。
現藏陝西省周原博物館。

王伯姜壺

西周
傳陝西出土。
高34.4、口徑12厘米。
獸首銜環對耳，失蓋。頸飾波曲紋，腹飾以鱗紋帶形成的網格紋，交會處鑄四棱錐形乳釘，下腹、圈足飾形態不同的獸體捲曲紋。口內鑄銘十二字，記王伯姜鑄器事。
現藏美國舊金山亞洲藝術博物館。

[青銅器]

西周（公元前十一世紀至公元前七七一年）

三年瘨壺

西周
陝西扶風縣莊白村窖藏出土。
高65.4、口徑19.7厘米。
獸首銜環對耳。蓋頂飾捲體鳳鳥紋，蓋沿飾圈目交連紋，圈足飾獸體捲曲紋，器身通飾大波曲紋三周。蓋榫鑄銘文六十字，記周王在鄭、旬陵兩次舉行饗禮，分別賞賜瘨羔俎與羲俎事。
現藏陝西省周原博物館。

484

[青銅器]

幾父壺
西周
陝西扶風縣齊家村窖藏出土。
高60、口徑16厘米。
頸對飾螺角獸首銜環耳。蓋沿與器頸飾獸目交連紋，圈足飾獸體捲曲紋，餘飾波曲紋。口內鑄銘十五字，記幾父在西宮得同仲賞賜事。
現藏陝西歷史博物館。

同壺
西周
河南泌陽縣前梁河村出土。
高40.7、口徑15.7厘米。
獸首銜環對耳，蓋頂飾捲體龍紋，頸飾波曲紋，餘皆飾鱗紋。蓋、器同銘十三字，記同作器事。
現藏河南博物院。

西周（公元前十一世紀至公元前七七一年）

[青銅器]

頌壺

西周
高63厘米。
橢方形體，獸首銜環耳。蓋鈕及圈足飾鱗紋，蓋沿飾竊曲紋，頸、腹分別浮雕波曲紋與雙體交龍紋。蓋榫鑄銘一百四十九字，詳載周王對頌的一次冊命。現藏臺北故宮博物院。

[青銅器]

西周（公元前十一世紀至公元前七七一年）

晉侯斯壺
西周

山西曲沃縣北趙村晉侯墓地8號墓出土。
高68.8厘米，口長22.8、寬18厘米。
橢方形器、平蓋。器口飾波帶狀鏤空邊飾，蓋頂立山字形鏤空捉手，頸對飾象首銜環對耳。蓋面飾交龍紋，口下與圈足飾目雷紋，頸飾波曲紋，下接橫鱗紋，腹飾絞結龍紋。蓋內鑄銘四行二十六字，記晉侯斯作器事。
現藏山西省考古研究所。

[青銅器]

西周（公元前十一世紀至公元前七七一年）

芮公壺
西周
高37.6、寬22厘米。
橢圓形器體，蓋有圈形捉手，獸首形雙耳。抓手與圈足飾鱗紋，蓋沿飾竊曲紋，器頸飾波曲紋，腹以龍首爲中心飾雙尾龍紋。蓋上鑄銘二行九字，記芮公作器事。現藏故宮博物院。

獸面紋壺
西周
高48.2、寬33厘米。
象首形耳，頸飾波曲紋。腹飾大獸面紋，以細雷紋襯地。圈足飾斜角目紋。
現藏故宮博物院。

[青銅器]

西周（公元前十一世紀至公元前七七一年）

鳳紋壺
西周
高58.5厘米。
獸首銜環雙耳，蓋頂與器腹飾寬帶紋構成的田字形網格，間填花冠鳳紋，頸飾三角獸體紋，圈足飾斜角式目紋。
現藏日本東京根津美術館。

梁其壺
西周
陝西扶風縣任家村出土。
高35.6，腹徑30厘米。
圓角方形體，獸首銜環對耳。口沿內折，做鏤空波曲紋花邊。平蓋飾圓雕臥牛鈕，頸飾竊曲紋，下接三角紋，腹部寬條網格紋，內飾獸體捲曲紋。器口及頸鑄銘四十五字，記梁其作尊壺事。
現藏陝西歷史博物館。

489

[青銅器]

西周（公元前十一世紀至公元前七七一年）

陳侯壺
西周
山東肥城縣小王莊出土。
高51厘米。
橢方形體，象鼻形套環對耳，腹由層疊寬帶紋構成田字形網格，紋飾樸素。蓋、器對銘三行十三字，記其爲陳侯嫁女的媵器。
現藏山東省博物館。

陳㠱父壺
西周
山西聞喜縣上郭村出土。
高28.5、寬22厘米。
扁平橢圓形體，肩飾回首龍紋，壺外口頸部銘記陳㠱父作旅器事。
現藏山西省考古研究所。

[青銅器]

西周（公元前十一世紀至公元前七七一年）

散車父壺
西周
陝西扶風縣召陳村窖藏出土。
高41厘米，口長14.6、寬11.1厘米。
橢方形體，貫耳。蓋沿、器頸均飾花冠回首鳥紋，腹飾以凸弦紋組成的網格紋，內飾垂鱗紋，圈足飾波曲紋。口內壁鑄銘二十六字，記散車父作器以迎娶姞氏事。
現藏陝西歷史博物館

鄂侯弟厤季提梁壺
西周
傳湖北隨州市出土。
高21.8、口徑11.3–13.8厘米。
肩飾半環形對鈕，提梁已佚。腹一側設龍首鋬。蓋、肩、圈足飾弦紋。器、蓋對銘二行八字"鄂侯弟厤季作旅彝"。
現藏上海博物館。

[青銅器]

西周（公元前十一世紀至公元前七七一年）

眉仲壺
西周
高14.8厘米，口長8.4、寬6.8厘米。
橢方形器，體通飾扉棱四道。蓋、腹飾變形捲龍紋，蓋沿與圈足飾蛇紋，頸飾鳳鳥紋，兩面中部浮雕獸首，通體以雷紋襯地。器、蓋同銘四行十四字，記眉仲爲倗生作器事。
現藏上海博物館。

蕉葉鳳紋觚
西周
陝西扶風縣莊白村窖藏出土。
高29.7、口徑15.6厘米。
喇叭口，束腰，高圈足。喇叭口外壁飾葉形獸體紋、長冠分尾鳳鳥紋，圈足亦飾鳳鳥紋。
現藏陝西省周原博物館。

[青銅器]

旅父乙觚
西周
陝西扶風縣莊白村窖藏出土。
高25.2、口徑13.2厘米。
腰部極細，圈足飾虎耳龍紋，上下以目雷紋爲欄。圈足內壁鑄"旅父乙"三字。
現藏陝西省周原博物館。

小臣單觶
西周
高13.8、口長11.6厘米。
截面橢圓形，器體粗短。頸飾龍紋、鳳鳥紋相間的連續紋帶一周。腹內底鑄銘二十二字，記成王平定武庚叛亂事。
現藏上海博物館。

西周（公元前十一世紀至公元前七七一年）

[青銅器]

西周（公元前十一世紀至公元前七七一年）

獸面紋觶
西周
高16.5厘米。
橢方形體，半環鈕蓋。頸飾圓渦紋，蓋面與腹部飾陽綫的捲角獸面紋，通體以雲雷紋襯地。觶的紋樣細密，主次不夠分明。
現藏美國舊金山亞洲藝術博物館。

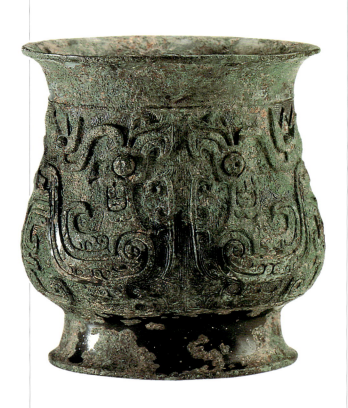

鳳紋觶
西周
高12.7厘米。
器體甚短，截面橢圓形，器身兩面各飾相對的浮雕齒狀冠大鳳鳥，以雲雷紋襯地。
現藏美國舊金山亞洲藝術博物館。

[青銅器]

西周（公元前十一世紀至公元前七七一年）

歸釓進方壺
西周
陝西西安市長安區花園村出土。
高18厘米，口長11.5、寬9厘米。
橢方形器，蓋沿與器頸均飾花冠鳳鳥紋一周。蓋内與器内底對銘八字，于亞字框内記歸釓進爲父辛鑄器事。
現藏陝西歷史博物館。

父庚觶
西周
高14.9、口徑7.6厘米。
圓形體，瘦長形。頸飾蕉葉紋，下接鳳鳥紋，腹飾相對的大鳳鳥紋。通體以雷紋襯地。腹内底鑄銘"作父庚"三字。
現藏上海博物館。

495

[青銅器]

西周（公元前十一世紀至公元前七七一年）

伯𢆶飲壺甲
西周
陝西扶風縣莊白村出土。
高11、口徑14.5厘米。
橢方形器，頸飾花冠鳳鳥紋，象鼻形雙鋬，上飾雷紋。內底鑄銘五字"伯𢆶作飲壺"。
現藏陝西省扶風縣博物館。

伯𢆶飲壺乙
西周
陝西扶風縣莊白村出土。
高16.5、口徑16厘米。
橢方，深腹，圈足，帶蓋。頸飾花冠鳳鳥紋，兩面中部浮雕獸首。象鼻形雙鋬，下有垂珥，上飾雷紋。內底鑄銘五字，記伯𢆶作器。
現藏陝西省扶風縣博物館。

[青銅器]

西周（公元前十一世紀至公元前七七一年）

波曲紋杯
西周
陝西西安市長安區張家坡窖藏出土。
高13.6、口徑13.1厘米。
廣口，束腰，平底，腰有箍棱，下飾波曲紋。
現藏陝西歷史博物館。

鳳首鋬觶
西周
高14.9、寬11.9厘米。
斂口，深腹下垂，圈足。一側有半環形鋬，上端透雕鳥首，下有鳳尾狀垂耳。
現藏故宮博物院。

497

[青銅器]

西周（公元前十一世紀至公元前七七一年）

雙鋬杯
西周
陝西西安市長安區張家坡窖藏出土。
高12.2、口徑8.5厘米。
同出兩件，均爲觚形，腰有箍，平底，
兩側對飾鏤空變形龍紋鋬。
現藏陝西歷史博物館。

單鋬杯
西周
陝西西安市長安區張家坡窖藏
出土。
高13.3、口徑11.8厘米。
觚形體，平底，單鋬上有五個
鏤孔。通體素面。
現藏陝西歷史博物館。

[青銅器]

長柄瓚
西周
陝西西安市長安區張家坡窖藏出土。
高9、口徑11厘米。
器體如粗體觚形,但平底無圈足,一側有上翹且後部平折的扁平長柄,前端有斜撐。通體素面。
現藏陝西歷史博物館。

變形幾何紋瓚
西周
陝西扶風縣召陳村窖藏出土。
高7、長17.2厘米。
器體如斂口鼓腹的圈足杯,腹部接前窄後寬的扁柄。口下飾變形幾何紋,腹飾橫瓦紋,圈足飾鏤空鱗紋,柄飾鏤空龍紋。
現藏陝西歷史博物館。

西周(公元前十一世紀至公元前七七一年)

【青銅器】

西周（公元前十一世紀至公元前七七一年）

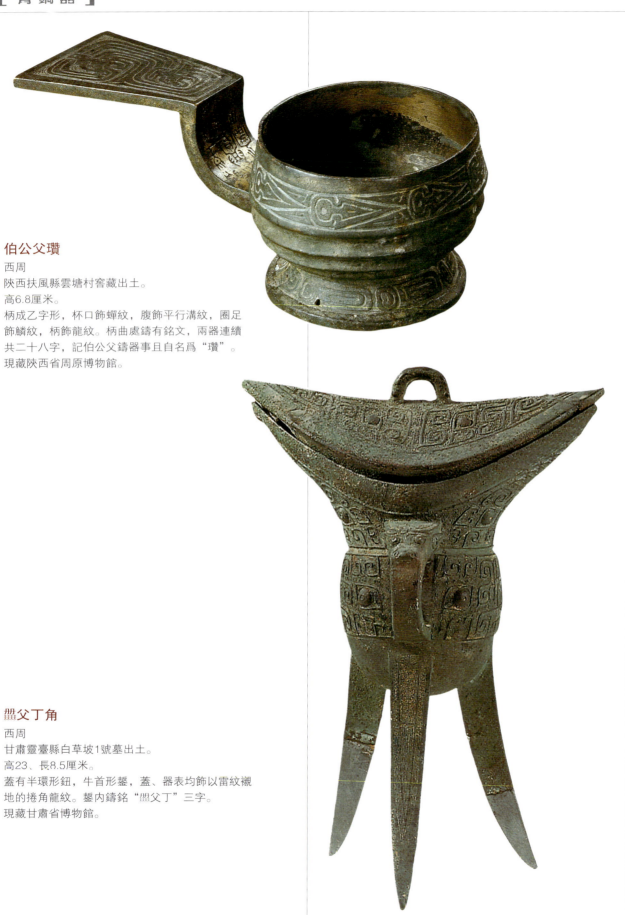

伯公父瓚

西周
陝西扶風縣雲塘村窖藏出土。
高6.8厘米。
柄成乙字形，杯口飾蟬紋，腹飾平行溝紋，圈足飾鱗紋，柄飾龍紋。柄曲處鑄有銘文，兩器連續共二十八字，記伯公父鑄器事且自名爲"瓚"。
現藏陝西省周原博物館。

父丁角

西周
甘肅靈臺縣白草坡1號墓出土。
高23、長8.5厘米。
蓋有半環形鈕，牛首形鋬，蓋、器表均飾以雷紋襯地的捲角龍紋。鋬內鑄銘"父丁"三字。
現藏甘肅省博物館。

未爵

西周

北京房山區琉璃河253號墓出土。

高22厘米。

傘形柱,牛首鋬,腹長而足短。流飾龍紋,腹飾簡化獸面紋,均以雷紋襯地。鋬下橢圓形邊框內鑄銘"未"字。

現藏首都博物館。

茀祖辛爵

西周

陝西西安市長安區普渡村出土。

高27、流尾長23厘米。

傘狀柱,爵身及三足皆粗短,錐足外撇,流、尾、腹通飾扉棱。獸首形鋬。腹飾獸面紋,流、尾及曲口下飾蕉葉獸面紋,錐足飾三角雷紋。柱側鑄"茀祖辛"三字。

現藏陝西歷史博物館。

[青銅器]

西周（公元前十一世紀至公元前七七一年）

龍爵
西周
高18.9、流尾長15.8厘米。
爵的雙柱無帽，像龍的雙角，爵的鋬作龍首形，頸部飾蕉葉紋，柱上飾雷紋，其餘均為龍紋。鋬內側的銘文也為"龍"字。
現藏上海博物館。

獸面紋爵
西周
山西曲沃縣曲村6210號墓出土。
高19.2、寬16.3厘米。
菌形柱，腹壁微鼓，牛首形鋬，三棱形足。口沿下飾一周雲雷紋，雲雷紋襯地，腹飾獸面紋。
現藏北京大學賽克勒考古與藝術博物館。

[青銅器]

西周（公元前十一世紀至公元前七七一年）

鳳鳥紋爵
西周
高22、流尾長17.7厘米。
傘形柱，身較長，牛首形鋬較短。流下、器身上下皆飾雲雷紋地的鳳鳥紋，且鳳鳥紋的形態皆不同。
現藏故宮博物院。

魯侯爵（右圖）
西周
高20、寬16.2厘米。
上身一側有小牛首鋬。腹飾雲雷紋兩周，間飾弦紋。尾部口內壁鑄銘兩行十字，記魯侯獻作器事。
現藏故宮博物院。

503

[青銅器]

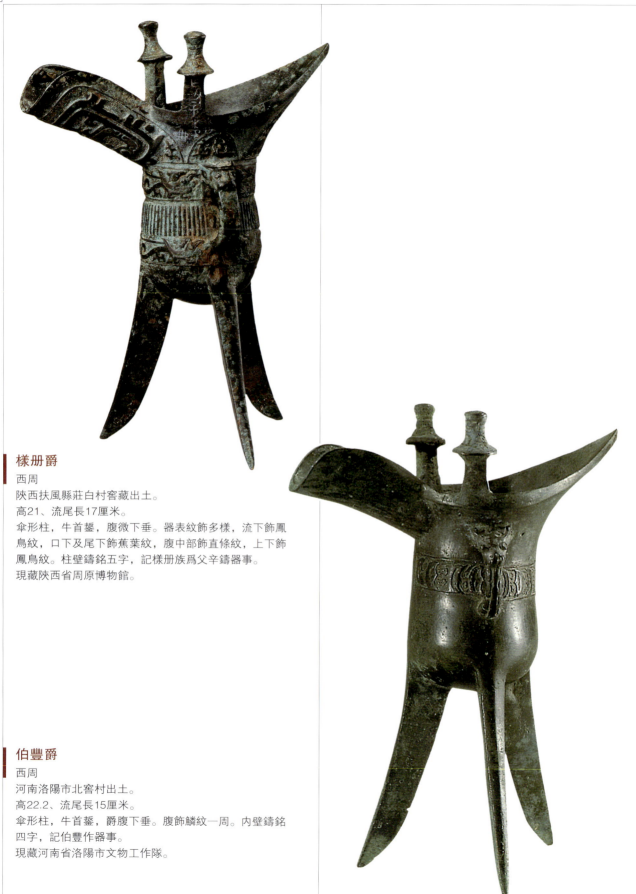

樣册爵
西周
陝西扶風縣莊白村窖藏出土。
高21、流尾長17厘米。
傘形柱，牛首鋬，腹微下垂。器表紋飾多樣，流下飾鳳鳥紋，口下及尾下飾蕉葉紋，腹中部飾直條紋，上下飾鳳鳥紋。柱壁鑄銘五字，記樣册族爲父辛鑄器事。
現藏陝西省周原博物館。

伯豐爵
西周
河南洛陽市北窰村出土。
高22.2、流尾長15厘米。
傘形柱，牛首鋬，爵腹下垂。腹飾鱗紋一周。內壁鑄銘四字，記伯豐作器事。
現藏河南省洛陽市文物工作隊。

晨肇寧角

西周
河南信陽市溮河港出土。
高28厘米。
蓋中設半環鈕，羊首形鋬。蓋脊、蓋面和器身兩側對飾扉棱，前後角端扉棱出頭。蓋、腹飾獸面紋，頸飾蕉葉雲雷紋，雷紋襯地。足外側飾蟬紋。蓋與腹內壁對銘三行十二字，記晨肇寧作此器。
現藏河南信陽市文物管理委員會。

[青銅器]

西周（公元前十一世紀至公元前七七一年）

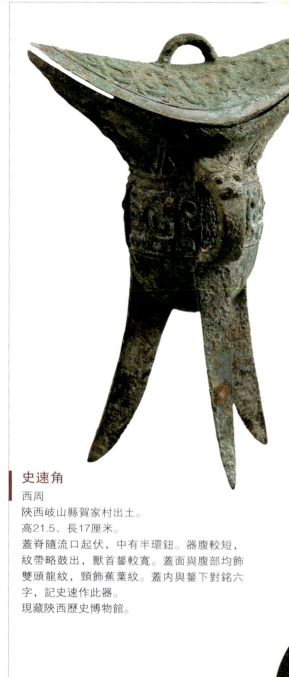

史速角
西周
陝西岐山縣賀家村出土。
高21.5、長17厘米。
蓋脊隨流口起伏，中有半環鈕。器腹較短，紋帶略鼓出，獸首鋬較寬。蓋面與腹部均飾雙頭龍紋，頸飾蕉葉紋。蓋內與鋬下對銘六字，記史速作此器。
現藏陝西歷史博物館。

旅斝
西周
陝西扶風縣莊白村窖藏出土。
高34.1、口徑18.6厘米。
平蓋，高頸，傘形柱，分襠，款足。蓋有半環鈕，上飾蛇紋，蓋面飾目雷紋，兩側有缺口，恰與柱相對，獸首形鋬。肩飾展體式虎頭紋，腹飾連續雙人字紋。蓋內與旅下對銘八字，記旅為父乙做祭器事。
現藏陝西省周原博物館。

[青銅器]

西周（公元前十一世紀至公元前七七一年）

賣引卣
西周
高25.4、長24厘米。
蓋前端爲龍首，獸首形鋬。器內底及蓋內鑄"賣引作尊彝"五字。器內附斗，斗的鋬尾從器口伸出。銘文與器蓋相同。
現藏上海博物館。

守宮卣
西周
傳河南出土。
高18厘米。
龍首與流聯爲一體，流以後加蓋。蓋尾有一孔，放在卣內的斗尾從孔中伸出。蓋、器對銘，記守宮爲祭祀父辛鑄器事。
現藏英國劍橋大學菲茨威廉博物館。

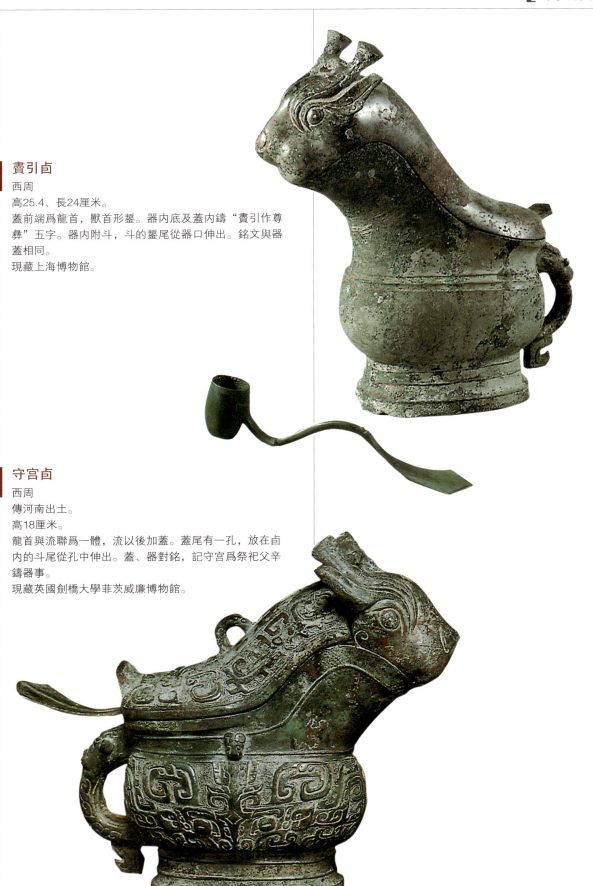

[青銅器]

西周（公元前十一世紀至公元前七七一年）

▌旅方卣

西周

陝西扶風縣莊白村窖藏出土。
高28.7、長38厘米。
蓋前端爲羊頭形，羊角間浮雕獸首，後端爲龍角大獸面，扉棱前端鑄立體鳥頭，扉棱兩側與流、圈足皆飾龍紋。觥體長方形，曲口寬流，鼓腹圈足。體四隅與四面中部皆飾扉棱，腹飾大獸面紋。鋬浮雕龍首、鷙鳥與象鼻。器、蓋對銘十四字，記昭王賞賜旅等事。
現藏陝西省周原博物館。

▌仲子崩弄觥

西周

高31.8厘米。
長方形體蓋前端爲龍頭形，後端爲浮雕獸面。器後有鳥形鋬，扉棱間飾花冠垂尾鳳鳥。蓋、器對銘十二字，記仲子崩弄鑄器事。
現藏美國舊金山亞洲藝術博物館。

508

[青銅器]

龍首方卣
西周
高22.9厘米。
蓋前爲龍首形,後飾獸面紋,兩側飾龍紋,頸飾鳳鳥紋和龍紋。器四隅及四壁中部飾扉棱,腹飾大獸面紋,圈足飾鳳鳥紋,均以雷紋襯地,并在主體紋飾上陰刻細雷紋,形成三層花紋。
現藏美國華盛頓弗利爾美術館。

西周（公元前十一世紀至公元前七七一年）

[青銅器]

西周（公元前十一世紀至公元前七七一年）

鳳鳥紋方卣
西周
高28.8厘米。
蓋前端龍首形，接飾高浮雕鳳鳥紋和獸面紋。獸首銜鳳鳥形鋬。頸飾鳳鳥紋并填飾龍紋，四壁飾鳳鳥紋和直條紋，圈足飾捲尾龍紋。
現藏日本京都泉屋博古館。

告田卣
西周
陝西寶雞市戴家灣出土。
高50、長41厘米。
蓋前端龍首形，蓋面飾龍紋。鳥形鋬。頸飾龍紋，圈足飾夔紋。長方形座面，周飾龍紋。左右壁中部飾直條紋，前後壁各有四長方形鏤孔，周飾龍紋。蓋內及器底鑄"告田"二字。
現藏丹麥哥本哈根國立博物館。

[青銅器]

西周（公元前十一世紀至公元前七七一年）

鬲形盉
西周
山西曲沃縣曲村6210號墓出土。
高17、口徑15.4厘米。
短流侈口，分襠袋足，牛首形鋬。頸飾弦紋一周。
現藏北京大學賽克勒考古與藝術博物館。

來父盉
西周
高21.5、口徑13.5厘米。
獸首形鋬，與蓋有環鈕相套。蓋沿與器頸均飾列羽獸面紋，足飾連續雙綫人字紋。蓋、器對銘，記來父作器事。
現藏故宮博物院。

[青銅器]

西周（公元前十一世紀至公元前七七一年）

長甶盉
西周
陝西西安市長安區普渡村出土。
高28.2、口徑17.5厘米。
蓋以鏈條與獸首鋬相連。蓋沿、器頸均飾象鼻龍紋，流飾三角雷紋，腹飾連續雙綫人字紋。蓋内鑄銘五十六字，記長甶與邢伯比射受穆王褒獎事。
現藏中國國家博物館。

衛盉
西周
陝西岐山縣董家村窖藏出土。
高29、口徑20.2厘米。
蓋沿與器頸均飾回首花冠龍紋，流飾三角雷紋，腹飾雙綫人字紋。蓋内鑄銘一百三十二字，記恭王三年裘衛與矩伯以田地與玉器相交换事。
現藏陝西省岐山縣博物館。

[青銅器]

齟父盉
西周
陝西扶風縣莊白村出土。
高21、長24.5厘米。
龍形鋬，飾鱗甲，蓋面浮雕蟠蛇，有環扣通過一蛙鏈與器身相連。器頸飾顧首龍紋，流管飾三角形。蓋內與器內壁對銘五字，記齟父作器事。
現藏陝西省扶風縣博物館。

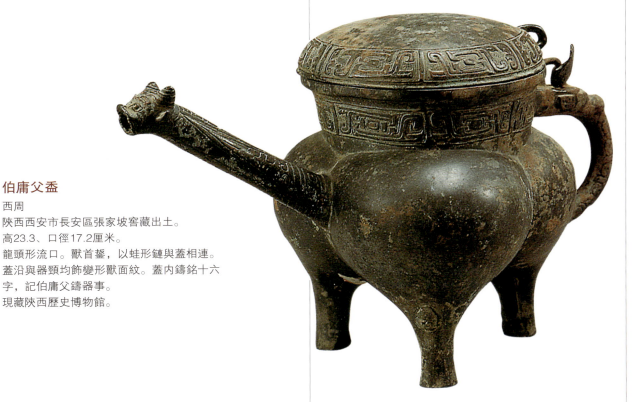

伯庸父盉
西周
陝西西安市長安區張家坡窖藏出土。
高23.3、口徑17.2厘米。
龍頭形流口。獸首鋬，以蛙形鏈與蓋相連。蓋沿與器頸均飾變形獸面紋。蓋內鑄銘十六字，記伯庸父鑄器事。
現藏陝西歷史博物館。

西周（公元前十一世紀至公元前七七一年）

[青銅器]

西周（公元前十一世紀至公元前七七一年）

弜伯盉
西周
陝西寶雞市茹家莊1號墓乙室出土。
高21.7、口徑14.5厘米。
分襠柱足，獸首形鋬，以鏈與蓋相連。蓋緣與器頸均飾斜角雷紋，腹飾獸面紋，分襠處飾三小獸首。蓋内與器腹對銘二行六字，記"弜伯自作盤盉"。
現藏陝西省寶雞市青銅器博物館。

伯百父盉
西周
陝西西安市長安區張家坡窖藏出土。
高21.7、口徑10.3厘米。
獸首形鋬，蓋作蟠龍頂，出土時蓋與鋬相連的鏈條已失。肩飾雙頭龍紋，流飾獸體捲曲紋。蓋内鑄銘文八字，記伯百父爲其女孟姬作媵器事。
現藏陝西歷史博物館。

514

[青銅器]

西周（公元前十一世紀至公元前七七一年）

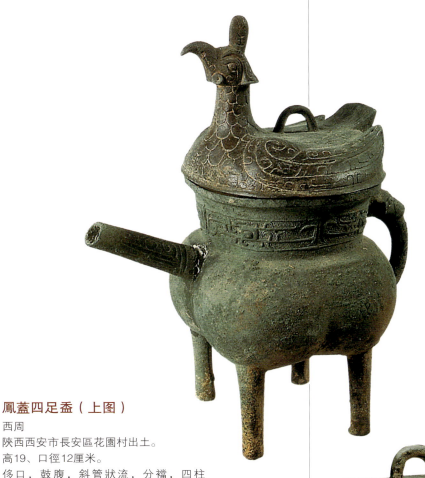

鳳蓋四足盉（上圖）
西周
陝西西安市長安區花園村出土。
高19、口徑12厘米。
侈口，鼓腹，斜管狀流，分襠，四柱足。盉蓋成臥伏鳳鳥形，通飾鱗狀羽毛。牛首形鋬，頸飾獸目交連紋。鋬下器壁作"公作寶尊彝"五字。
現藏陝西歷史博物館。

士上盉
西周
河南洛陽市馬坡村出土。
高22.6、寬21厘米。
蓋有半環鈕，一側有鏈與鋬相連。蓋面、腹部飾折角獸面紋，頸飾雷紋組成的獸面紋，流飾蕉葉紋，通體以細雷紋襯地。鋬下有銘四字，蓋內鑄銘五十字，記周王合會諸侯等事。
現藏美國華盛頓弗利爾美術館。

515

[青銅器]

西周（公元前十一世紀至公元前七七一年）

克盉
西周
北京房山區琉璃河1193號墓出土。
高26.8、口徑14厘米。
蓋有半環鈕，一側有鏈與鋬相連。獸首形鋬，分襠近平。蓋緣與頸部飾鳳鳥紋，雷紋襯地，間飾扉棱。流飾蕉葉紋。蓋內壁與器口內側對銘六行四十三字，記周王"令克侯于匽"，授民授疆土事。
現藏首都博物館。

徙遽簠盉
西周
甘肅靈臺縣白草坡1號墓出土。
高22厘米。
蓋頂有半環鈕，獸首形鋬，蓋、鋬間有環鏈連接。蓋、腹飾獸面紋，頸飾目雷紋，均以雷紋襯地。蓋內鑄銘二行六字"徙遽簠作父己"。
現藏甘肅省博物館。

[青銅器]

渦龍紋盉（右图）
西周
高20.5、口徑7.5厘米。
蓋面和器頸各施一周雲雷紋地的圓渦紋，器頸的圓渦紋間以日焰紋。鋬下腹壁鑄銘五字"尤有癸巳日"。
現藏甘肅省蘭州市博物館。

鴨形盉
西周
河南平頂山市滍陽嶺應國墓地50號墓出土。
高26厘米。
鴨形器，鴨首與頸爲流，鴨尾作鋬，四柱足。鋬上浮雕牛首，上一立人雙手環抱蓋鈕。蓋沿與器頸均飾鳳鳥紋。蓋內鑄銘五行四十四字，記作器者獲得厚贈事。
現藏河南省文物考古研究所。

[青銅器]

它盉
西周
陝西扶風縣齊家村出土。
高37.5、長39.2厘米。
體鼓形，橢方口，四龍紋扁足，龍形流管，
龍形鋬，蓋飾圓雕臥鳥。鼓面飾渦紋、鱗紋
和獸體捲曲紋。蓋內鑄銘"它"字。
現藏陝西歷史博物館。

[青銅器]

西周（公元前十一世紀至公元前七七一年）

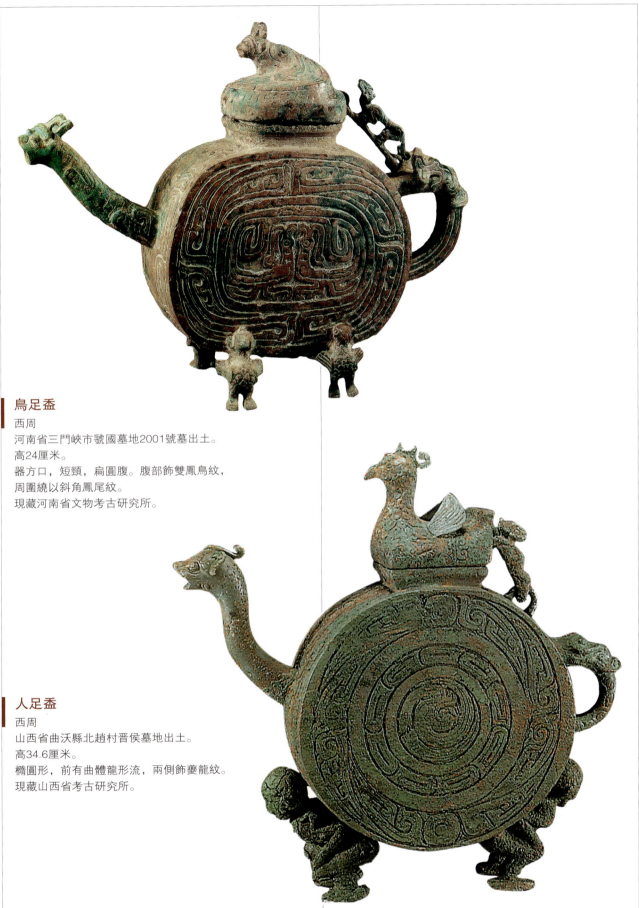

鳥足盉
西周
河南省三門峽市虢國墓地2001號墓出土。
高24厘米。
器方口，短頸，扁圓腹。腹部飾雙鳳鳥紋，周圍繞以斜角鳳尾紋。
現藏河南省文物考古研究所。

人足盉
西周
山西省曲沃縣北趙村晉侯墓地出土。
高34.6厘米。
橢圓形，前有曲體龍形流，兩側飾夔龍紋。
現藏山西省考古研究所。

519

[青銅器]

西周（公元前十一世紀至公元前七七一年）

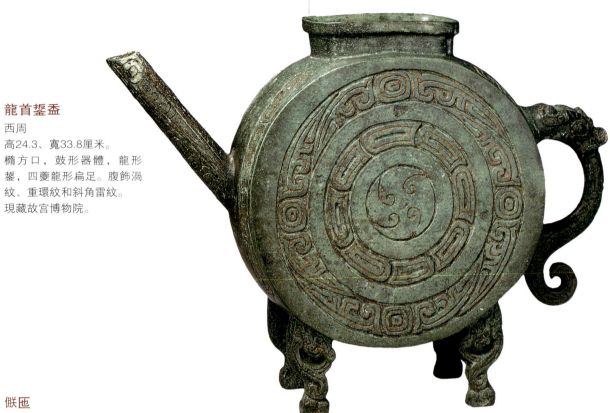

龍首鋬盉
西周
高24.3、寬33.8厘米。
橢方口，鼓形器體，龍形鋬，四夔龍形扁足。腹飾渦紋、重環紋和斜角雷紋。
現藏故宮博物院。

佚匜
西周
陝西岐山縣董家村窖藏出土。
高20.5厘米。
蓋前端作虎首狀。獸首形鋬，羊蹄形足、口緣飾變形獸體捲曲紋。內底及蓋內共鑄銘文一百五十七字，記師佚與牧牛爭訴案件的判決經過及結果。
現藏陝西省岐山縣博物館。

[青銅器]

筍侯匜
西周
山西聞喜縣上郭村出土。
高16.5、長35厘米。
龍首形鋬,四獸形扁足。口緣飾鱗紋,腹飾瓦棱紋。器底鑄銘三行十四字,記筍侯作器事。
現藏山西省考古研究所。

魯司徒仲齊匜
西周
山東曲阜市魯國故城望父臺墓地48號墓出土。
高19、長36厘米。
長槽形流,後有龍形鋬。下承四扁獸足。口下飾獸體捲曲紋,腹飾瓦棱紋。器底鑄銘五行二十五字,記魯司徒仲齊作器事。
現藏山東省曲阜市文物管理委員會。

西周(公元前十一世紀至公元前七七一年)

【青銅器】

齊侯匜
西周
高24.7、長48.1厘米。
俯首曲體龍形鋬，口銜器沿，四龍形扁足，通體飾瓦棱紋。腹內底鑄銘四行二十二字，記齊侯爲虢孟姬良女作器事。
現藏上海博物館。

散伯匜
西周
高19.3、長26.5厘米。
龍首形鋬。口沿飾竊曲紋，腹飾瓦棱紋。腹內銘五字，記散伯作器事。
現藏上海博物館。

[青銅器]

叔上匜
西周
高16.8、長28.6厘米。
龍形鋬，匜前兩足獸首朝上，後兩足獸首朝下。腹飾獸帶紋。內底鑄銘五行三十三字，記鄭大內史叔上爲女叔妘作陪嫁用匜事。
現藏故宮博物院。

聑□子商匜
西周
高22.1、長42.3厘米。
螺角龍形鋬，口下飾竊曲紋，腹飾瓦棱紋。前兩足上部飾獸首，後兩足上部飾獸尾。內底鑄銘十六字，記聑國公子商做匜事。
現藏故宮博物院。

西周（公元前十一世紀至公元前七七一年）

523

[青銅器]

西周（公元前十一世紀至公元前七七一年）

蟬紋盤
西周
遼寧喀喇沁左翼蒙古族自治縣馬廠溝窖葬出土。
高13、口徑33厘米。
腹飾蟬紋、聯珠紋，間飾浮雕獸首。圈足飾蟬紋，間飾扉棱。
現藏遼寧省博物館。

牆盤
西周
陝西扶風縣莊白村窖藏出土。
高16.2、口徑47.3厘米。
腹外壁飾花冠分尾鳳鳥紋，圈足飾獸體捲曲紋，均以雷紋襯地。內底鑄銘二百八十四字，分兩段，前段頌揚周諸位先王與當朝天子業績，後段記其家族史及求福。
現藏陝西省周原博物館。

[青銅器]

西周（公元前十一世紀至公元前七七一年）

魚龍紋盤
西周
河北曲陽縣占果村出土。
高13厘米。
腹外壁和圈足部飾夔龍紋帶，腹內壁飾魚紋一周，盤內底于鱗紋地上飾蟠龍紋。
現藏河北省博物館。

休盤
西周
高11.9、口徑39.4厘米。
腹外壁飾獸體捲曲紋。內底鑄銘九十字，記恭王二十年周王對休的一次冊命。
現藏南京博物院。

525

[青銅器]

西周（公元前十一世紀至公元前七七一年）

筍侯盤
西周
陝西西安市長安區張家坡窖藏出土。
高10.1、口徑36.2厘米。
腹外壁與圈足均飾目雷紋。器底鑄銘三行十二字，記筍侯爲叔姬作媵盤事。
現藏陝西歷史博物館。

殷谷盤
西周
高13.7、寬39.6厘米。
腹飾竊曲紋，圈足飾垂葉獸面紋。器內底鑄銘十八字，記殷谷作器事。
現藏故宮博物院。

[青銅器]

西周（公元前十一世紀至公元前七七一年）

伯雍父盤
西周
陝西扶風縣莊白村出土。
高15.5、口徑44厘米。
前有流，後有獸首環錾，兩側有附耳。腹外壁飾
回首龍紋。內底鑄銘文七字，記伯雍父作器事。
現藏陝西省扶風縣博物館。

齊叔姬盤
西周
高14.5、口徑46厘米。
通體飾獸目交連紋。器底鑄銘四行二十二字，
記齊叔姬作器事。
現藏山東省濟南市博物館。

[青銅器]

西周（公元前十一世紀至公元前七七一年）

變形獸面紋盤
西周
山東滕州市後荊溝村出土。
高18.5、口徑36.7厘米。
捲尾龍形雙耳，圈足附裸體托盤狀人形足，腹壁與圈足均飾獸目交連紋。
現藏山東省滕州市博物館。

寰盤
西周
高12.9、寬45.5厘米。
雙附耳有橫梁與器相連，腹飾鱗紋，圈足飾波曲紋。
盤內底鑄銘十行一百零三字，記王對寰的一次册命事，年、月、月相、干支日四項俱全。
現藏故宮博物院。

[青銅器]

西周（公元前十一世紀至公元前七七一年）

宗仲盤
西周
陝西藍田縣指甲灣村出土。
高15、口徑35.5厘米。
前有敞口流，後有龍形鋬。口下及圈足飾鱗紋，腹飾瓦棱紋。盤底鑄銘二行六字"宗仲作尹姞盤"。
現藏陝西歷史博物館。

虢季子白盤
西周
傳陝西寶雞市出土。
高39.5厘米，口長137.2、寬86.5厘米。
圓角長方形器，矩形四足，四壁各有二獸首銜環，環作繩索狀，頸飾竊曲紋，腹飾大波曲紋，器底鑄銘八行一百一十一字，記虢季子白受周王命征伐玁狁獲勝，周王爲其舉行慶功盛典事。
現藏中國國家博物館。

529

[青銅器]

西周（公元前十一世紀至公元前七七一年）

凹弦紋罐
西周
河南三門峽市虢國墓地2012號墓出土。
高8.4、口徑6厘米。
平折沿，直口，束頸，斜肩，弧腹，平底。肩兩側對飾半環形鈕，其中一鈕與蓋頂之環鈕套鑄。肩腹飾凹弦紋。
現藏河南省文物考古研究所。

調色器
西周
陝西岐山縣賀家村西周墓出土。
高15厘米。
器身由四個筒形器組成，連接處有上下貫通之圓孔。前有昂首獸頭，兩側獸首形耳，下有四足。
現藏陝西歷史博物館。

530

[青銅器]

透雕龍紋匕
西周
長26厘米。
桃葉形體，曲柄，柄端透雕龍紋。
現藏上海博物館。

夔紋匕
西周
長23.4、寬5.6厘米。
桃葉狀匕首，曲形扁條柄，上飾夔紋。
現藏故宮博物院。

西周（公元前十一世紀至公元前七七一年）

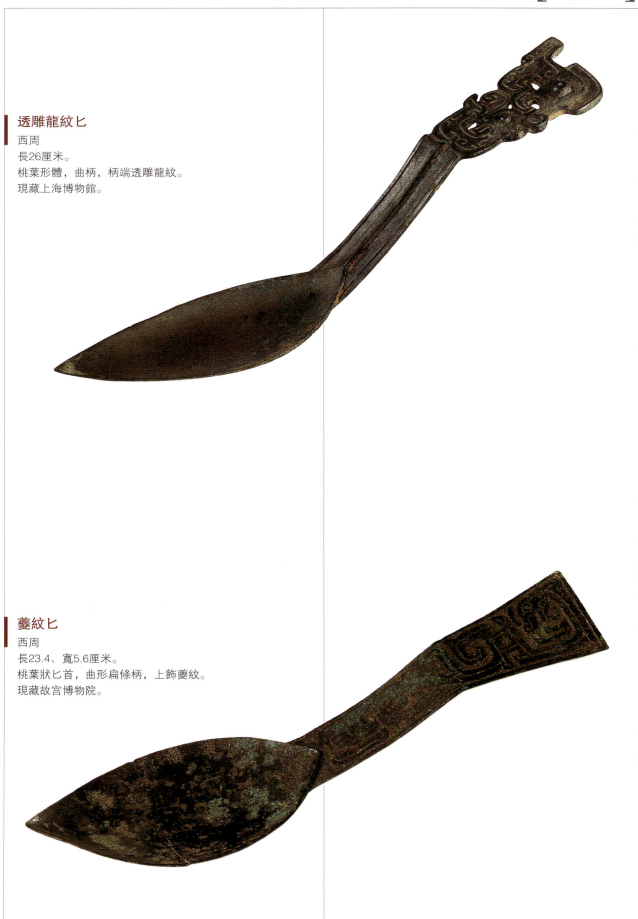

531

[青銅器]

西周（公元前十一世紀至公元前七七一年）

竊曲紋匕
西周
長17.8、寬3.9厘米。
桃葉形體，扁條柄，末端透雕竊曲紋。
現藏故宮博物院。

獸面紋斗
西周
陝西扶風縣莊白村西周窖葬出土。
長37.2、口徑5厘米。
圓柱形杯體，口微斂，弓形柄，
透雕龍紋、鳳紋和獸面紋。
現藏陝西省周原博物館。

[青銅器]

西周（公元前十一世紀至公元前七七一年）

應侯見工鐘
西周
陝西藍田縣紅門寺出土。
高24、寬13厘米。
甬實心，篆部、隧部飾雷紋，右鼓有鳥形雙音標志。鑄銘共三十九字。記周王在宗周賞賜應侯事。
現藏陝西藍田縣文物管理所。

井叔鐘
西周
陝西西安市長安區張家坡窖藏出土。
高37.5厘米。
甬上與篆間飾波曲紋，鼓飾雷紋。右鼓有鳥紋。共鑄銘三十九字，記井叔采鑄鐘事。
現藏中國社會科學院考古研究所。

[青銅器]

西周（公元前十一世紀至公元前七七一年）

南宮乎鐘
西周
陝西扶風縣豹子溝村出土。
高54厘米。
甬飾波曲紋，旋飾龍紋，幹與篆間均飾獸目交連紋，鼓部飾鳥體花冠龍紋。甬上、鉦間、右鼓鑄銘文六十八字，記司徒南宮乎鑄一套大林鐘事，此當爲其中之一。現藏陝西省扶風縣博物館。

[青銅器]

梁其鐘
西周
陝西扶風縣法門鎮任家村出土。
高53.5厘米。
旋飾竊曲紋,舞飾雷紋,篆間、鼓部均飾龍紋。鼓右有一鸞鳥,爲演奏雙音標志。鉦間及鼓部鑄銘七十八字,頌揚先祖并對天子表示忠心。
現藏上海博物館。

晉侯穌鐘
西周
山西曲沃縣北趙村晉侯墓地8號墓出土。
高49厘米。
共十六件,此爲第一件。紋飾爲淺細陽文構成的聯珠紋、雲雷紋和弦紋等。十六枚鐘共刻鑿三百五十五字銘文一篇,記楚公穌作器事。
現藏日本京都泉屋博古館。

西周(公元前十一世紀至公元前七七一年)

[青銅器]

西周（公元前十一世紀至公元前七七一年）

士父鐘
西周
高45.2、寬26厘米。
甬飾波曲紋，篆帶與隧部飾夔龍紋。鼓右飾夔龍紋以標志基音點。鉦間與左鼓鑄銘九行六十八字，記叔氏爲亡父做編鐘事。
現藏故宮博物院。

戎生編鐘
西周
高21.4–51.7厘米、銑間寬10.2–30.4厘米。
瘦長體甬鐘，共八件，形制基本一致。正鼓部飾蝸首夔龍紋，舞飾"S"形雲紋，篆間飾竊曲紋。八鐘銘文連讀共計一百五十四字，記作器者戎生及其皇考昭伯、皇祖憲公三代事迹。
現藏北京市保利藝術博物館。

西周（公元前十一世紀至公元前七七一年）

[青銅器]

西周（公元前十一世紀至公元前七七一年）

厲王㝬鐘
西周
高65.6厘米。
篆飾獸體捲曲紋，鼓飾龍紋。鉦間及鼓部有銘文一百二十二字，記周厲王時周師降服服子，南夷、東夷二十六國俱來朝見事。此鐘當為厲王為宗周祖廟所鑄一套編鐘中的一件。
現藏臺北故宮博物院。

虢叔旅鐘
西周
傳陝西寶雞市出土，或説出自長安河壖中。
高26、寬13.6厘米。
甬飾波曲紋和鱗紋，旋飾目雷紋，篆飾獸目交連紋，隧飾龍紋，鼓右飾鳥形以標志基音點。鉦間與左鼓鑄銘五行十七字。
現藏山東省博物館。

[青銅器]

克鐘
西周
陝西扶風縣任家村出土。
高63.5、口寬34.7厘米。
鐘腔飾透雕交龍紋扉棱四道,體腔飾浮雕龍紋,方錐形釘絆帶。右鼓鑄銘八十一字,記周王命克省視京師,并賜車馬事。
現藏天津博物館。

西周(公元前十一世紀至公元前七七一年)

[青銅器]

西周（公元前十一世紀至公元前七七一年）

耳形虎含鑾鈹
西周
甘肅靈臺縣白草坡2號墓出土。
長23.1、刃身寬7厘米。
整體似半環形，彎曲頂端有釘帽，上有釘孔，中做猛虎吞食狀，虎頭含鑾，尾下延長部分有短胡二穿。以虎背爲利刃。
現藏甘肅省博物館。

龍含鑾鈹
西周
山東鄒城市小彥村采集。
長21.2、寬14.1厘米。
夔龍回首狀，龍口向下含鑾。龍背爲鋒利雙刃。
鑾外表有銘三行九字。
現藏山東鄒城市文物局。

540

龍虎紋戚

西周

河北邢臺市葛家莊村出土。

長17.7厘米。

弧刃，器身飾龍紋、虎紋和雲紋，兩側飾鏤空回首龍紋。鉞頂部有象首形鑾，內飾獸面，後端有三齒，當爲禮儀用器。

現藏河北省文物研究所。

[青銅器]

西周（公元前十一世紀至公元前七七一年）

人頭銎鉞
西周
陝西寶雞市竹園溝13號墓出土。
長14.3厘米。
刃與直內間飾獸面紋、蟠蛇紋和虎頭紋，兩側飾回首立虎。鉞上接人頭形銎，人頭方臉，額梳劉海，後有髮辮。
現藏陝西省寶雞市青銅器博物館。

康侯斧（右圖）
西周
河南浚縣出土。
高10.3、寬6.8厘米。
方銎，緣凸起，側有繫環。刃近圓形，微損。正面有銘"康侯"二字。
現藏故宮博物院。

[青 銅 器]

西周（公元前十一世紀至公元前七七一年）

太保䢾戈
西周
河南洛陽市北窰村出土。
長23.7、援寬4、內寬2.8厘米。
中胡二穿，援後部浮雕龍紋。內正面鑄"太保"二字，背面鑄"䢾"字。
現藏河南省洛陽市文物工作隊。

銅內鐵援戈
西周
河南三門峽市虢國墓地2001號墓出土。
殘長17.4、內長7.5厘米。
由鐵援、銅內鍛接組合而成。正、背面均以綠松石片鑲嵌一組長鼻龍首紋。
現藏河南省文物考古研究所。

543

[青銅器]

西周（公元前十一世紀至公元前七七一年）

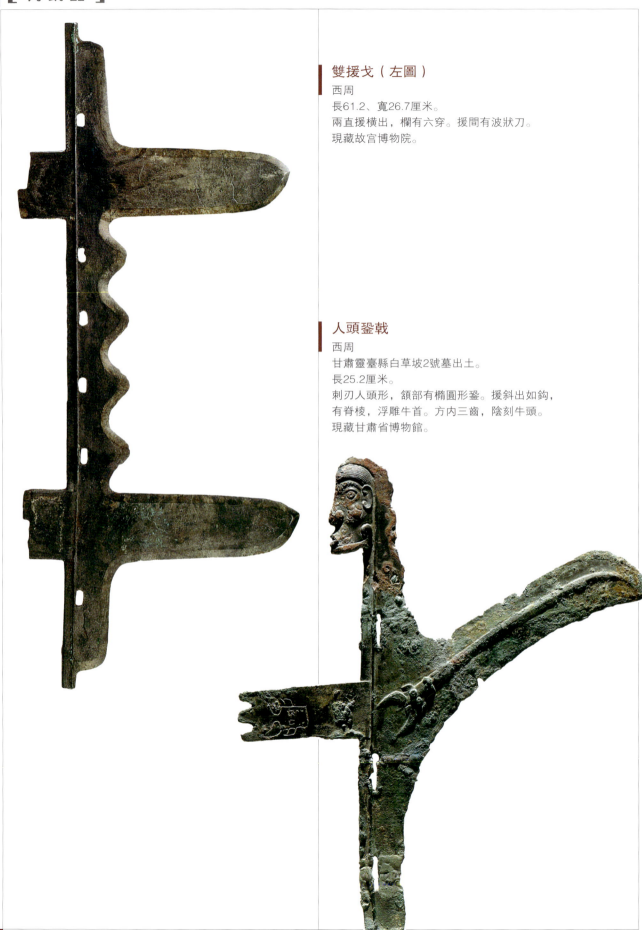

雙援戈（左圖）
西周
長61.2、寬26.7厘米。
兩直援橫出，欄有六穿。援間有波狀刀。
現藏故宮博物院。

人頭銎戟
西周
甘肅靈臺縣白草坡2號墓出土。
長25.2厘米。
刺刃人頭形，頸部有橢圓形銎。援斜出如鈎，有脊棱，浮雕牛首。方內三齒，陰刻牛頭。
現藏甘肅省博物館。

我形兵器
西周
長28.2、寬12.6厘米。
圓齒狀刃，脊部有銎，可能爲上古兵器"我"。
現藏故宮博物院。

鏤空蛇紋鞘短劍
西周
甘肅靈臺縣白草坡2號墓出土。
長23.5厘米。
劍身上部鑄目紋和幾何紋。鞘鏤孔成蟠蛇狀，
鞘口兩側各飾犀牛一隻。
現藏甘肅省博物館。

[青銅器]

西周（公元前十一世紀至公元前七七一年）

勾鋸形兵器（右圖）
西周
長34.4、寬4.5厘米。
尖勾狀頭，波狀刃，極爲鋒利，背欄有七穿。
現藏故宮博物院。

獸面形飾
西周
北京房山區琉璃河1193號墓出土。
高21、寬22.3厘米。
正面凸起做獸面形，口內兩排利齒。前額、雙耳與下顎均有圓形小孔。
現藏首都博物館。

[青銅器]

西周（公元前十一世紀至公元前七七一年）

人面形器
西周
北京房山區琉璃河1193號墓出土。
高18.5、寬17.6厘米。
正面凸起作人面形，略顯笑容。雙目、鼻、齒鏤空，前額與下頜兩側各有兩個小孔。
現藏首都博物館。

馬冠飾
西周
山西洪洞縣永凝堡村出土。
高22、寬28.5厘米。
冠作人面形，上弧下凹，左右內收，雙目鏤空，面相凶猛。
現藏山西省考古研究所。

547

[青銅器]

馬冠飾
西周
山西曲沃縣曲村6210號墓出土。
高20.4、寬18.3厘米。
牛首形，雙角上翹。
現藏北京大學賽克勒考古與藝術博物館。

獸首轄（右圖）
西周
山西曲沃縣曲村6210號墓出土。
長10.9、寬4.7厘米。
頭部為獸首形，為車軸部件。
現藏北京大學賽克勒考古與藝術博物館。

[青銅器]

西周（公元前十一世紀至公元前七七一年）

人獸形軏飾
西周
陝西寶雞市茹家莊1號車馬坑出土。
高13厘米。
圓管狀器，頂端封實，納軔端敞口。正面爲束冠獸頭狀，隆鼻張口，後蹲伏一人，平頂、長髮披垂，身着犢鼻褌，腰束帶，背飾回首鹿形紋身。
現藏陝西省寶雞市青銅器博物館。

人獸形軏飾背面

549

[青銅器]

西周（公元前十一世紀至公元前七七一年）

素鏡
西周
陝西寶雞市出土。
直徑6.5厘米。
橋形鈕，無鈕座。通體素面無紋。
現藏陝西省寶雞市青銅器博物館。

女相人像
西周
陝西寶雞市茹家莊2號墓出土。
高11.6厘米。
頭戴三叉形髮飾，身穿對襟袍服，寬袖窄口，雙手似有所握，作舞蹈狀。下部有橢圓形銎口，背有釘孔。
現藏陝西省寶雞市青銅器博物館。

[青銅器]

男相人像
西周
陝西寶雞市茹家莊1號墓出土。
高17.9厘米。
身着長袍，高領窄袖，腰束寬帶，前腹懸"蔽膝"。雙臂舉至右肩，兩手似有所握，衣下緣有方孔。
現藏陝西省寶雞市青銅器博物館。

象首耳獸面紋罍
西周
四川彭州市竹瓦街出土。
高70厘米。
盔形蓋，飾四鳥形扉棱，間飾夔龍。肩腹間飾象首形對耳，雙耳間亦浮雕象頭，下腹飾獸首形鋬，肩上居中浮雕蟠體夔龍，兩側飾夔紋，腹飾夔龍紋。圈足飾跪牛。通體以雲雷紋襯地。
現藏四川博物院。

西周（公元前十一世紀至公元前七七一年）

[青銅器]

象首耳獸面紋罍
西周
四川彭州市竹瓦街出土。
高70.2、口徑22.8厘米。
盔形蓋，飾四鳥形扉棱，間飾夔龍。肩腹間飾象首形對耳，下延扉棱，雙耳間一面浮雕象頭，一面飾扉棱，下腹飾獸首形鋬，肩、腹均飾夔紋，圈足飾跪牛。通體以雷紋襯地。
現藏四川博物院。

牛紋罍
西周
四川彭州市竹瓦街出土。
高79厘米。
覆豆形蓋，頂飾蟠龍，四周飾獸面紋，蓋面飾四相向跪牛，肩飾相向而跪的圓雕牛頭雙耳，兩面正中浮雕羊頭，腹下側飾牛首形鋬。
現藏四川博物院。

羊首耳渦紋罍
西周
四川彭州市竹瓦街出土。
高68、口徑24厘米。
覆豆形蓋，器通飾扉棱四道，蓋面與肩均飾渦紋，肩飾卷角羊首對耳，下腹有一羊首形鋬。
現藏四川博物院。

[青銅器]

蟠龍蓋獸面紋罍
西周
四川彭州市竹瓦街出土。
高48厘米。
昂首蟠龍形蓋,前足踞于蓋頂,背起脊棱,身飾回紋及巴蜀符號,肩飾龍形對耳,下腹飾獸首形鋬。肩飾夔紋、牛首紋和犀紋,腹飾獸面紋,圈足飾夔紋,通體以雷紋襯地。
現藏四川博物院。

[青銅器]

西周（公元前十一世紀至公元前七七一年）

蟠龍蓋獸面紋罍
西周
四川彭州市竹瓦街出土。
高50厘米。
昂首蟠龍形蓋，前足踞于蓋頂，背有扉棱，身飾回紋與巴蜀符號，肩飾獸首銜環對耳，耳間浮雕盤角羊頭，下腹飾羊首形鏊，肩與圈足均飾夔龍紋和牛紋，腹飾獸面紋，空白處填以雷紋。
現藏四川博物院。

獸面紋三角形戈
西周
四川彭州市竹瓦街出土。
長27.3、欄寬9.6厘米。
三角形援，中脊、邊刃明顯，援後部飾獸面紋，獸面中有一大圓穿，長方形内，中有圓穿。
現藏四川博物院。

555

[青銅器]

西周（公元前十一世紀至公元前七七一年）

蠶紋長援戈
西周
四川成都市交通巷出土。
長26.3厘米。
援略弧，中部起脊，飾捲身夔龍紋。長方形內，近欄處有桃形穿，飾蠶紋與雲雷紋。現藏四川省成都市博物館。

獸面紋長援戈
西周
四川彭州市竹瓦街出土。
長26，欄寬6.6厘米。
援略弧，近欄處飾變形獸面紋和蕉葉紋，長方形內，有條形、圓形共四穿。
現藏四川博物院。

[青銅器]

西周（公元前十一世紀至公元前七七一年）

鳥紋戟（下圖）
西周
四川彭州市竹瓦街出土。
長27.5厘米。
由戈與刺兩部分組成。三角形戈，援兩面均飾勾喙怪鳥，下角處亦飾展翅小鳥，長方形内，端部山形，内飾四橫棱形的竹節紋。刺長三角形，橢圓形銎，骹後有小牙，紋飾與戈同。
現藏四川博物院。

牛首紋斧
西周
四川彭州市竹瓦街出土。
長16.2、銎寬8.4厘米。
舌形刃，上部斜收爲肩，短銎。正面飾牛首紋，肩飾帶狀圓點紋，背面僅肩飾凸弦紋二道。
現藏四川博物院。

557

[青銅器]

西周（公元前十一世紀至公元前七七一年）

圓渦鳥紋鼎
西周
安徽黃山市屯溪區弈棋鎮3號墓出土。
高19.8、口徑18.1厘米。
形態和紋飾仿照西周前期銅鼎，但已發生了東南地區化的變异：立耳變得扁薄，腹部變淺且下垂，獸首三足變得纖細且後部中空；腹飾以四瓣目紋爲中心，兩側對視圓渦紋和鳥紋，這也有拼凑的意味；鼎耳龍紋飾于内壁而非外壁，也不同尋常。
現藏安徽省博物館。

龍紋錐足鼎
西周
安徽黃山市屯溪區弈棋鎮1號墓出土。
高12.2、口徑14.1厘米。
鼎的造型係典型越系鼎，立耳小薄，鼎腹甚淺，錐足外撇。鼎的紋飾却模仿中原，腹飾顧首夔龍爲主紋，并以雲雷紋爲地紋。這些都説明，此鼎應是東南地區工匠模仿中原傳入銅器的作品。
現藏安徽省博物館。

[青銅器]

西周（公元前十一世紀至公元前七七一年）

對鳳紋矮足方鼎
西周
安徽黃山市屯溪區弈棋鎮3號墓出土。
高22.8厘米，口長28.5、寬26.5厘米。
敞口，平底，扁平方耳，四矮足。器四隅及四面中部飾扉棱。腹浮雕花冠長尾鳳紋及异獸紋，足外側似凸起的獸面。
現藏安徽省博物館。

雷紋鬲
西周
江蘇鎮江市丹徒區大港鎮母子墩出土。
高39.5、口徑32厘米。
高弧襠直口鬲，雙豎耳，袋足下接柱狀實心足根。頸飾方折雷紋帶兩周。
現藏江蘇省鎮江博物館。

559

[青銅器]

西周（公元前十一世紀至公元前七七一年）

變形獸面紋四耳簋
西周
浙江長興縣草樓村出土。
高10、口徑18.1厘米。
折沿寬平，聳肩，肩上有相對的四個獸首小鋬，腹弧綫內收，下接斜侈的高圈足。器表滿布各種捲雲紋，平沿上飾一周相連的對捲雲紋，肩部和腹部飾凸凹相間的對捲雲紋和勾連雲紋的雙層主紋，圈足上飾一周捲雲紋。器內底中部飾一俯視的大黽紋，表明此器的用途應爲盛水的水器。此簋造型獨特，紋飾以單一的捲雲紋爲基本構圖單元，爲東南地區銅器流行的做法。
現藏浙江省博物館。

格地乳釘紋簋
西周
安徽黃山市屯溪區弈棋鎮出土。
高16.5、口徑27.7厘米。
直口，鼓腹，平底，矮圈足。腹對置雙耳，上起鏤空扉棱。頸、圈足飾交連紋，腹飾百乳方格雷紋。
現藏安徽省博物館。

[青銅器]

西周（公元前十一世紀至公元前七七一年）

幾何紋簋
西周
安徽黃山市屯溪區弈棋鎮3號墓出土。
高18.8、口徑27.2厘米。
直口，鼓腹，矮圈足。腹對置龍形雙耳，下有垂珥。頸、圈足飾交連紋，腹飾規整幾何紋，兩面中部均飾一變形獸面。
現藏安徽省博物館。

蛙紋簋
西周
安徽黃山市屯溪區弈棋鎮出土。
高7、口徑9.5厘米。
束頸，鼓腹，矮圈足。腹飾蛙紋、棘刺紋，上下以聯珠紋爲欄。
現藏安徽省博物館。

[青銅器]

西周（公元前十一世紀至公元前七七一年）

方格乳釘紋簋
西周
江蘇丹陽市司徒廟窖藏出土。
高14、口徑21厘米。
侈口，束頸，圈足。獸首形雙耳，下有鈎珥。腹飾聯珠紋、百乳方格雷紋。
現藏江蘇省鎮江博物館。

宜侯夨簋
西周
江蘇鎮江市丹徒區烟墩山出土。
高15.7、口徑22.5厘米。
四獸首形耳，腹飾渦紋和顧首龍紋。高圈足飾分尾龍紋，間飾扉棱，扉棱與四耳相對。器底鑄銘十二行約一百三十字，記周康王册封夨于宜地爲宜侯事。
現藏中國國家博物館。

562

[青銅器]

幾何紋無耳方簋
西周
安徽黃山市屯溪區弈棋鎮出土
高11、口徑13.6厘米。
方體，束頸，鼓腹，方圈足。腹飾編織紋，上腹中部飾變形獸面紋，頸與圈足飾交連紋。
現藏安徽省博物館。

雲雷紋尊
西周
江蘇鎮江市丹徒區大港鎮磨盤墩出土。
高39、口徑34.5厘米。
侈口、長頸，扁圓腹，高圈足。頸與圈足飾凸弦紋和雲紋。腹飾雷紋、四乳釘紋。
現藏南京博物院。

西周（公元前十一世紀至公元前七七一年）

563

[青銅器]

西周（公元前十一世紀至公元前七七一年）

對鳳紋尊
西周
江蘇丹陽市司徒廟窖藏出土。
高34厘米，口長12.3、寬15.5厘米。
口沿下為四組相向鳳鳥紋，頸部為鳥紋帶，腹部飾相向大型鳳鳥紋兩對，鳳首反顧，巨冠，分尾。腹部雙鳳間飾小龜。
現藏江蘇省鎮江博物館。

[青銅器]

西周（公元前十一世紀至公元前七七一年）

四蛙棘刺紋尊
西周
安徽黃山市屯溪區弈棋鎮出土
高19.2、口徑19厘米。
侈口，短頸，鼓腹，矮圈足。腹部及其上下通飾細密棘刺紋、交連紋，上下以鋸齒紋爲界。肩部飾四蛙紋。
現藏安徽省博物館。

鴨尊
西周
江蘇鎮江市丹徒區大港鎮母子墩出土。
高22.2、口徑18.3厘米。
形如背負喇叭形圓筒的立鴨。鴨作曲頸收翅佇立狀，頭有半環形冠，後有扁平的短尾。爲保持平衡，在鴨身後部有一根螺紋狀立柱支撐。鴨腹中空，上與喇叭形器口相通。器表素净無紋飾。
現藏江蘇省鎮江博物館。

565

[青銅器]

西周（公元前十一世紀至公元前七七一年）

鹿首四足卣
西周
江蘇鎮江市丹徒區大港鎮烟墩山出土。
高21.2、長21.8厘米。
四足獸形器，獸首有柱狀歧角與竪耳，
蓋有立獸狀小鈕，尾附龍形。腹飾鳳紋，
以雲雷紋襯地。足上部飾獸面紋。
現藏南京博物院。

鳥蓋提壺
西周
江蘇鎮江市丹徒區大港鎮母子墩出土。
高49、口徑20厘米。
屬比較古樸的無頸壺，套臥鳥形蓋，鳥形似鳩。壺身作橢圓的長體，垂腹，矮圈足，口下肩上有相對的半環耳。壺身前後及兩側各有一道縱向的飾有菱形乳釘的箍帶將壺身分爲對稱的四塊，每塊以聯珠紋鑲邊，其間填以勾連雲紋，雲紋中突起一目，尚有獸面紋的遺意。該壺體態高大，造型簡練，花紋隨意自然，是西周時期東南地區銅器的佳作。
現藏江蘇省鎮江博物館。

[青銅器]

公提梁壺
西周
安徽黃山市屯溪區弈棋鎮出土。
高23厘米，口長12.8、寬10.2厘米。
獸首形提梁，梁面飾蟬紋，間飾乳釘紋，蓋與腹部飾長冠回首龍紋，頸飾回首龍紋。兩面中部浮雕獸面。蓋內與器底同銘二行十字"公作寶尊彝，其子孫永用"。現藏安徽省博物館。

獸面紋提梁壺
西周
高34.2厘米，口長15.3、寬12.2厘米。
浮雕龍首形提梁，器四隅通飾扉棱。蓋面及器腹飾獸面紋，蓋沿、器頸及圈足飾鳥紋。頸兩面中部浮雕獸首。
現藏上海博物館。

[青銅器]

西周（公元前十一世紀至公元前七七一年）

鳳紋提梁壺
西周
安徽黃山市屯溪區弈棋鎮出土。
高34.5厘米，口長12.3、寬15.5厘米。
橢圓形體，肩部對置環鈕，穿獸首形提梁。花苞狀蓋鈕，蓋飾交連紋，上下飾聯珠紋。頸飾回首龍紋，兩面中部浮雕獸首。腹飾鳳紋，中部飾變形獸紋。圈足飾獸目交連紋。通體以雲雷紋襯地。
現藏安徽省博物館。

蟠螭紋提梁壺
西周
安徽黃山市屯溪區弈棋鎮出土。
高34厘米，口徑長12.5、寬15.6厘米。
橢圓形體，肩部對置環鈕，穿獸首形提梁。花苞狀蓋鈕，蓋、腹、圈足通飾交連紋。
現藏安徽省博物館。

[青銅器]

西周（公元前十一世紀至公元前七七一年）

蟠龍蓋龍紋盉
西周
江蘇儀徵市破山口出土。
通高29.8厘米。
回首獸形鋬，與蓋有環相扣。山字形蓋鈕，蓋面陰刻鳳鳥紋，肩浮雕心形紋、條狀獸紋。
現藏南京博物院。

蟠龍蓋龍紋盉
西周
安徽黃山市屯溪區弈棋鎮出土。
高13.6、口徑7.7厘米。
分襠鬲形盉。蓋頂浮雕龍形，龍首翹起爲鈕，周飾雲紋、變形龍紋，有鏈與器頸相連。腹前有管狀流，後有龍形鋬。頸、襠飾弦紋，腹飾三組歧身龍紋。
現藏安徽省博物館。

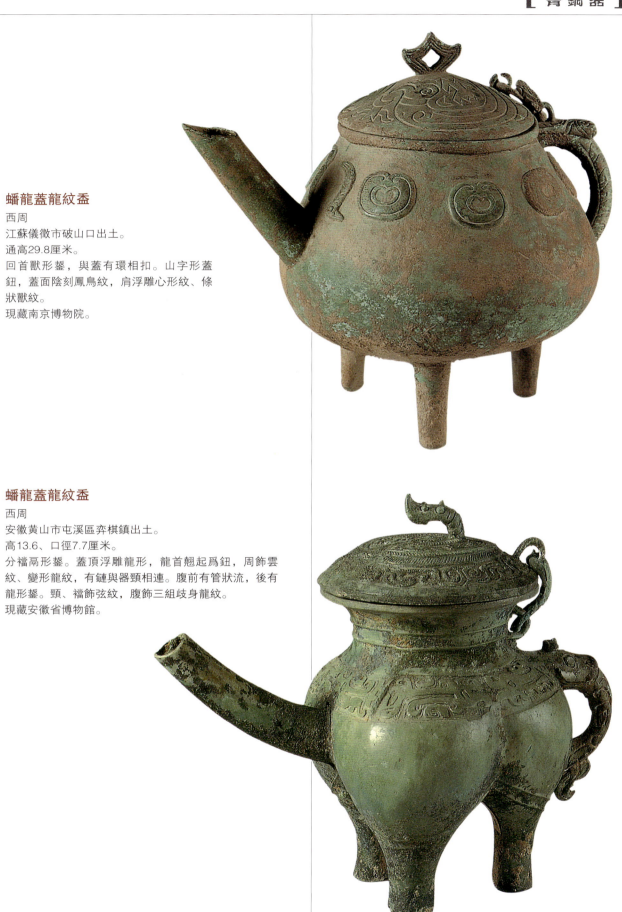

569

[青銅器]

西周（公元前十一世紀至公元前七七一年）

蟠龍蓋龍流盉
西周
廣東信宜市光頭嶺出土。
高26.2、口徑14.2厘米。
分襠鬲形器。蓋頂浮雕龍首形鈕。龍首形流，鏤空雙夔龍把手。蓋、流飾龍紋，腹飾獸面紋和夔龍紋。
現藏廣東省博物館。

透雕竊曲紋盤
西周
安徽黃山市屯溪區弈棋鎮出土。
高9.5、口徑32厘米。
淺腹、平底、兩段式小圈足，腹側有附耳，間飾扉棱。腹作鏤空的竊曲紋和簡化獸面紋，內底飾蟠龍紋，龍首浮雕，龍首前飾浮雕四足獸，周飾雲紋，圈足亦飾雲紋。盤壁鏤空，僅此一件，其功能已經與中原地區大相徑庭。
現藏安徽省博物館。

[青銅器]

西周（公元前十一世紀至公元前七七一年）

蟠龍紋盤
西周
江蘇鎮江市丹徒區大港鎮烟墩山出土。
高25.5、口徑48.5厘米。
長方形扁附耳，高圈足。盤壁飾蟠龍紋，以聯珠紋爲欄。
現藏南京博物院。

變形獸紋盤
西周
安徽黃山市屯溪區弈棋鎮出土。
高9.3、口徑31.5厘米。
敞口，淺腹，平底，圈足直壁，兩側對置附耳，耳高與口平齊。腹飾變形獸紋，足飾交連紋，均以圈點紋爲界。
現藏安徽省博物館。

571

[青銅器]

西周（公元前十一世紀至公元前七七一年）

魚龍紋盤
西周
江蘇儀徵市破山口出土。
高12.5、口徑36.6厘米。
腹壁飾龍紋，盤底飾蟠龍紋，周繞魚紋。
現藏南京博物院。

雲紋雙腹盒
西周
安徽黃山市屯溪區弈棋鎮出土。
高10.8、口徑7.4厘米。
錐形器蓋，圓口、寬肩，鼓腹，圈足。
腹兩側對置鏤空扉棱環耳，肩飾環鈕。
蓋、腹均飾斜角雲紋，肩飾瓦紋。
現藏安徽省博物館。

[青銅器]

西周（公元前十一世紀至公元前七七一年）

夔龍紋鐘
西周
安徽宣城市孫家埠出土。
高24、寬19.7厘米。
甬中部有對稱鼻鈕，無枚無篆。隧部飾夔龍紋，甬部和舞部飾雲雷紋和渦紋。
現藏安徽省博物館。

雲雷紋雙翼劍
西周
長26.4厘米。
劍身似矛，柱狀莖較長，內中空，莖上有二凸箍和一對小翼。劍身兩面皆有紋飾，一面為精細雲雷紋，另一面為簡化獸面紋。
現藏臺灣古越閣。

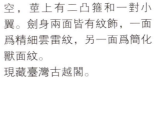

573

[青銅器]

西周（公元前十一世紀至公元前七七一年）

神面紋鈹（左圖）
西周
長25.1、寬4.7厘米。
扁莖兩面有凹槽，無格，臘中部略鼓，莖下飾人面紋，人面尖頜小口。
現藏故宮博物院。

對鳥紋器座
西周
安徽黃山市屯溪區弈棋鎮出土。
高14厘米，底邊長11、寬10.9厘米。
空腹斗形底座，座頂方形，四壁微弧，中心插中空單柱，柱有箍，下有穿孔。柱飾細綫三角紋，底座飾回紋和鳥紋。
現藏安徽省博物館。

[青銅器]

西周（公元前十一世紀至公元前七七一年）

五柱器座
西周
安徽黃山市屯溪區弈棋鎮出土。
高31厘米，足長21.5、寬20厘米。
空腹長方形座，圓角弧面。器頂有脊，上橫列五根橫柱。脊飾捲曲雲紋，腹飾弦紋和交連紋。
現藏安徽省博物館。

跪坐人器座
西周
安徽黃山市屯溪區弈棋鎮出土。
高14.4–15.3厘米。
人裸體跪坐，上手上舉，似托重物，人頭上有長條形帶穿插銷。人像的頭頂高度與雙手高度平齊，形成三個支點。這兩件跪坐銅人應該是某種漆木器下緣的支座。
現藏安徽省博物館。

575

[青銅器]

刖人守門方鼎

西周

內蒙古寧城縣小黑石溝出土。

高19厘米，口長12.7、寬9.7厘米。

上腹橢方形，附耳。四隅飾回首捲尾伏龍，兩條缺失。頸飾雙首夔龍紋。下爲方形爐膛，接四鷹嘴獸形足。正面有兩扇可開啓的門，左門有虎首形壓關，右門有裸體刖刑奴隸壓關，原有門閂已失。兩側有窗狀通風孔，後壁鑄竊曲紋鏤孔。

現藏內蒙古自治區寧城博物館。

[青銅器]

西周（公元前十一世紀至公元前七七一年）

雙鈴俎
西周
遼寧義縣花爾樓窖藏出土。
長33.5、寬18、高14.5厘米。
几形器，几面爲長方淺槽狀，下連倒凹字形板足，上飾以雷紋襯地的獸面紋。板足間空檔兩端各懸一扁形小鈴。
現藏遼寧省博物館。

夔鳳紋簋
西周
內蒙古寧城縣小黑石溝出土。
高17、口徑24厘米。
敞口沿外捲，高圈足。上腹飾鳳鳥紋一周，圈足飾二道凸弦紋。
現藏內蒙古自治區寧城博物館。

577

[青銅器]

西周（公元前十一世紀至公元前七七一年）

許季姜簋
西周
內蒙古寧城縣小黑石溝石槨墓出土。
高25.5、口徑21.2厘米。
獸首形雙耳，腹兩面中部對飾龍形鋬。方座四面下部有方形缺口。通飾直條紋。器底鑄銘三行十六字，記許季姜作器事。
現藏內蒙古自治區赤峰市博物館。

夔紋罍
西周
內蒙古寧城縣小黑石溝石槨墓出土。
高40厘米。
肩兩側有套環龍耳，飾變體夔紋。肩飾一周變體夔紋，折腹處飾重環紋一周。器腹飾六組由雙夔紋組成的三角圖案。
現藏內蒙古博物院。

578

[青銅器]

西周（公元前十一世紀至公元前七七一年）

鹿形飾
西周
內蒙古克什克騰旗龍首山1號墓出土。
長32、高20.5厘米。
飾件突出表現鹿頭和鹿身，而將四肢簡化和弱化。鹿頸下和身後各有兩個繫繩用小孔。
現藏內蒙古文物考古研究所。

鹿首角觿形器
西周
遼寧建平縣董家溝村出土。
長19.8厘米。
該器一端作鹿頭，一端如蛇尾，造型奇異。
現藏遼寧省博物館。

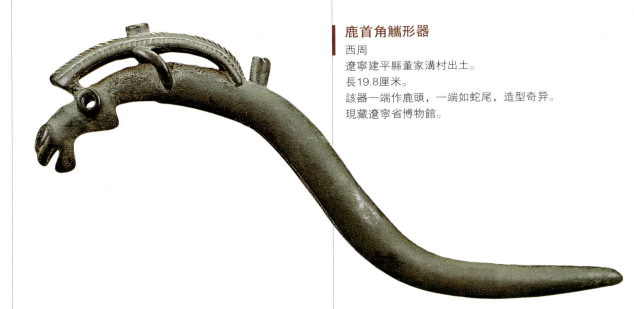

579